Femme à la mobylette

DU MÊME AUTEUR

La Nuit dépeuplée, Plon, 2001.

Le Sacre de l'enfant mort, Plon, 2004.

Jacques Canonici, l'Archaïque Renaissant (essai), Alexis Lahellec, 2009.

En vieillissant les hommes pleurent, Flammarion, 2012 (Grand Prix RTL/*Lire*) ; J'ai lu, 2013.

Le Cheval Péguy (essai), Pierre-Guillaume de Roux, 2014.

Je vous écris dans le noir, Flammarion, 2015 (Grand Prix des Lectrices de *Elle*) ; J'ai lu, 2016.

Excusez-moi pour la poussière, Le Testament joyeux de Dorothy Parker, Flammarion, 2015 (théâtre).

JEAN-LUC SEIGLE

Femme à la mobylette

ROMAN

suivi de

À la recherche du sixième continent

Crédits photographiques

Image p. 237 : Lamartine © Georgios Kollidas / Fotolia.com
Photo p. 246 : © Charles C. Ebbets / Bettmann / Getty Images
Photo p. 248 : © collection personnelle de l'auteur
Photo p. 257 : © Andrey Bayda / 123RF
Photo p. 265 : © Everett Historical / Shutterstock.com
Photo p. 269 : © Everett Historical / Shutterstock.com

PROLÉTAIRE : du latin *proletarius*, de *proles* « lignées ». Dans l'Antiquité romaine, le prolétaire est un citoyen de la dernière des six classes du peuple, sans droit et sans propriété, exclu de la plupart des charges politiques. N'ayant d'autre bien que sa personne, il tenait cette dénomination du fait qu'il ne pouvait être utile à l'État que par sa capacité à engendrer une descendance.

« Notre héritage n'est précédé d'aucun testament. »

RENÉ CHAR

La nuit impossible

Reine est une grosse dormeuse. Cette nuit elle n'a pas fermé l'œil. Même pas couchée. Pas déshabillée non plus. Devant sa fenêtre elle est toute *débobinée*. C'est le mot qu'elle a inventé pour donner un nom à cette fatigue qui la défait et la met en morceaux qu'elle a bien du mal à rassembler ensuite. Elle finit de boire son café. Ça, elle peut encore se le payer. De sa fenêtre, elle mesure pour la première fois de sa vie le poids du silence, le vrai silence, celui sans le chant des oiseaux. C'est implacable. Floconneux. Sourd. Dedans comme dehors. Une impression de tombe. En s'enfuyant, la nuit ne laisse plus derrière elle qu'une sorte de laitance grisâtre. *Tout finit dans l'absence et le silence absolu du monde.* Ça lui arrive quelquefois d'avoir des phrases qui lui viennent. Pas des phrases du dedans, des phrases du dehors qui s'encastrent en elle. Loin de la calmer, la phrase excite encore davantage une chose monstrueuse qui ne l'a pas laissée tranquille de toute la nuit. Une obsession contre laquelle elle a tenté de résister tout le temps de cette interminable apnée nocturne. Mais elle sait que le pire est à venir. Elle sait que si elle ne quitte plus cette fenêtre elle ne saura jamais si elle a mis fin à la vie de ses enfants, ou pas.

Les enfants devraient être réveillés. Toujours incapable de se décoller de la fenêtre. Elle n'arrive même plus à se voir dans le reflet des vitres. Elle a disparu. Cette nuit déjà elle ne se voyait plus dans les miroirs de la maison. Elle ne sait pas trop ce que ça peut vouloir dire, cette absence de reflet. Incapable aussi de monter l'escalier jusqu'à la chambre. Son corps se paralyse, son image disparaît. Elle est sans consistance. Elle ne se souvient pas d'être montée à l'étage dans la nuit. Non, je ne suis pas montée dans la chambre, froissant ses doigts serrés dans ses paumes. Non je ne suis pas montée dans la chambre pour les tuer ! Ce n'est pas possible. Le couteau de cuisine est toujours sur la table. Lavé ? Essuyé ? Si elle l'avait essuyé après l'avoir lavé, elle l'aurait rangé dans le tiroir, elle ne l'aurait pas reposé sur la table. Ça, elle en est presque sûre même si elle n'est pas toujours très ordonnée. Qu'est-ce que j'ai fait ? Elle s'est assommée une grande partie de la nuit en écoutant à tue-tête au casque *This Is My Life* chanté par Shirley Bassey. Mais rien. Incapable de verser une larme alors que cette chanson la fait pleurer depuis toujours. Peut-être parce que cette nuit-là elle n'a fait que se boucher les oreilles avec la voix puissante de la chanteuse, groggy par les mots anglais qu'elle ne comprend pas.

Qu'est-ce que je veux vraiment ? C'est la pire des questions. C'est par là d'habitude qu'elle commence à rêver. Sauf qu'elle ne veut plus rêver. C'est pourtant pas compliqué. Elle veut ouvrir un vrai chemin par lequel ses enfants pourraient se sauver. Rien d'autre. C'est ça, elle aurait voulu les sauver. Elle veut encore les sauver. Faudra bien qu'elle finisse par monter à l'étage. Elle n'arrive pas à se lever. Si elle ne les a pas tués, ce sera pire encore. Elle devra toute sa vie supporter le poids d'avoir une nuit entière pensé mettre fin à la vie de ses enfants, puis à la sienne. Même si la sienne n'a plus aucune importance.

Qui ça intéresse de savoir si elle est heureuse ou pas, si ses enfants sont en vie ou pas ? C'est comme cette femme qui s'est jetée dans le vide à New York quand les deux avions se sont encastrés dans les tours jumelles. Qui s'intéresse encore à elle ? Reine pense que c'était une femme. Pas un homme. Et l'image de cette femme qui se jette dans le vide ne l'a plus jamais quittée. Ça fait un bout de temps pourtant. Elle y repense souvent. Pas à cause du terrorisme. À cause du malheur. Elle n'a cessé de la voir et de la revoir tomber plusieurs fois après sa mort. C'était un peu comme au cinéma, du temps où elle y allait encore avec Olivier, quand elle retournait plusieurs fois voir un film qu'elle avait aimé. À chaque fois elle espérait pouvoir transformer par la force de son désir la fin malheureuse de l'histoire en une fin heureuse. Elle ressortait en pleurant, et sa tristesse ajoutée à son impuissance la rendait encore plus misérable. Revoir en boucle à la télévision ce corps qui tombait dans le vide lui redonnait chaque fois l'espoir que cette femme allait s'en sortir. Presque un ralenti à cause de la hauteur de la tour. Cette femme qui s'était levée le matin (comme Reine se lève tous les matins) ; qui avait préparé le petit déjeuner de ses gosses (comme elle le prépare elle aussi) : qui était heureuse d'aller travailler (comme elle l'avait été quand elle avait du travail) parce qu'elle savait qu'elle allait retrouver sa vie de famille après. A-t-elle pensé qu'elle pouvait échapper aux flammes en espérant un miracle ? Pouvoir encore aller chercher ses enfants à l'école ? Sinon pourquoi faire un tel saut ? Ce serait quoi d'autre, le miracle ? Une main surgie du ciel pour la sauver de sa chute ? Comme King Kong quand il relève Anna évanouie dans la jungle ? Elle n'a jamais oublié le prénom de cette héroïne, c'est aussi le prénom de sa mère qu'elle n'a jamais connue. Comment s'appelait cette femme qui tombait de la tour ? Personne jamais n'a dit son nom. On ne dit jamais le nom de ceux qui chutent.

La chute de Reine dure depuis trois ans. Mais cette chute-là personne ne la filmera jamais. Elle a commencé quand Olivier est parti de la maison quelques jours après qu'elle a perdu son travail. La fameuse loi des séries dont le principe semble avoir été inventé pour nous rassurer. Mais quand ça te tombe sur le coin de l'œil tu penses surtout que tu es maudite. Son ventre, son cœur, ses poumons, se sont peu à peu vidés de leur substance. Elle espère que cette femme, là-bas à New York, est morte avant que son corps ait atteint le bitume. Son cœur a dû exploser dans la chute pour soulager son agonie. Ce n'est pas possible autrement. Ou alors la main invisible de Dieu s'est contentée d'attraper son âme au passage. Le cœur de Reine n'a pas encore explosé. Reine est toujours devant sa fenêtre. Elle ne bouge pas. La chute n'en finit pas.

Une cigarette ! Ça oui, elle fumerait bien une cigarette, une Pall Mall des paquets rouges. Elle a arrêté de fumer le mois dernier pour faire des économies justement, après que quelqu'un lui a dit : « Quand on est capable d'acheter des cigarettes, on ne peut pas dire qu'on ne peut pas nourrir ses enfants. » C'était un homme du Conseil départemental en cravate bariolée sur une chemisette. Elle était venue lui demander une aide. Il lui avait juste proposé une colonie de vacances pour les enfants. Mais impossible pour elle de se séparer de ses enfants, même pour un mois d'été. Le manque de tabac la rend nerveuse. C'est pour ça qu'elle a encore grossi. Elle aurait envie d'une vraie cigarette avec tous ses produits chimiques qui rendent dépendant, qui tuent mais qui la calmeraient et l'aideraient à ranger toutes ces idées et toutes ces images qui la travaillent. Non, rien. Même pas un mégot. C'est à devenir folle.

Les enfants dorment toujours. Ou alors ils font les morts. Ils jouent. D'habitude, à cette heure-ci, ils sont levés. Le couteau est toujours sur la table. Il est propre. Reine n'entend plus son cœur battre. Sa chair a cessé de trembler. Elle ne sait même plus si elle est vivante, enfermée dans ce silence dont elle ne sait plus s'il s'éloigne avec la nuit ou s'il s'impose avec le jour.

Aucun des trois enfants n'a encore atteint l'âge de dix ans. Elle leur a donné des prénoms russes en souvenir d'Edmonde, bien plus parce qu'elle lisait Tolstoï dont elle lui racontait l'histoire de *La Guerre et la Paix* que parce qu'elle avait été communiste.

Sacha, Igor, Sonia. Il faudrait bien vous réveiller quand même. À croire qu'ils le font exprès !

Ils sont nés dans cet ordre-là. Tellement rapprochés qu'elle ne se souvient que d'une seule grossesse qui aurait duré une trentaine de mois. Deux ans à peine séparent Sacha, l'aîné, de Sonia, la dernière. Igor semble être arrivé au milieu pour faire la jonction. Tout le monde avait trouvé que c'était de la folie ces trois couches l'une après l'autre. Pas elle. Et puis elle se foutait de ce que les gens pensaient.

Et s'il suffisait d'avoir pensé les tuer pour que les enfants soient morts ? Ça arrive quelquefois de vouloir une chose si violemment qu'elle se produit. Elle aime ses trois enfants. Aucun ne lui ressemble. Même pas sa fille. La petite Sonia est plus vive qu'elle. Son père lui manque, mais tant qu'elle est avec ses frères qui lui mangent dans la main, elle ne se plaint pas. Elle est la plus indépendante. La plus indifférente à sa mère aussi. Sacha, Igor et Sonia sont les trois parties d'un être parfait constitué de trois visages, six jambes et six bras mais d'une seule tête qui réfléchit : celle d'Igor, l'enfant du milieu. Chaque fois qu'elle les regarde, c'est plus fort qu'elle, elle pense à la joie des bêtes. Les bêtes n'ont jamais l'air triste. Surtout les bêtes sauvages ! Encore aujourd'hui, les deux frères et la sœur ont besoin de se souder pour mieux résister aux secousses que leur mère ne parvient plus à leur éviter. Dans le même temps s'ils finissent par se réveiller, Reine devra tout faire pour les aider à prendre un peu d'autonomie, à se dissocier sans se séparer, sans leur faire perdre cette joie d'être un seul et même corps. Sinon cette soudure risquerait à terme de les isoler davantage du reste du monde. Elle pense à des choses comme ça qui la projettent un peu dans l'avenir.

Elle est une mendiante. La semaine dernière, elle a dû demander une aide pour la cantine à la mairie. Elle n'y arrive plus, même si elle a arrêté de fumer. Jusque-là, elle avait toujours mis un point d'honneur à la payer. S'assurer que ses petits sont bien nourris au moins une fois par jour, et que ce repas c'est elle qui le règle. Le soir, elle peut leur faire un bol de chocolat chaud et des tartines. Son Edmonde, la communiste qui l'a élevée, le disait toujours : *Y a rien de plus nourrissant qu'un bol de chocolat au lait.* Et même si le pain est un peu dur, il se ramollit facilement dans le lait chaud. Tous les soirs, ses enfants jouent le jeu et jurent qu'ils n'aiment rien de mieux que ce chocolat de mauvaise qualité et ces tartines un peu dures ; que s'il n'y en avait pas, ils seraient déçus. Igor, surtout lui, dit qu'il n'y a rien de meilleur au monde. Elle n'a vraiment rien à leur reprocher. Rien.

Son café est froid, elle s'en fout. Il faut qu'elle s'assoie. Ses jambes ne la soutiennent plus. Elle se sent lourde, comme si elle avait encore grossi dans la nuit. Surtout ne pas s'installer à la table de la cuisine. Le couteau est toujours posé sur le formica. S'asseoir devant sa machine à coudre. Ça, c'est la meilleure place, la place idéale. La machine à pédale Singer. C'était son arrière-arrière-grand-mère, la Madeleine, qui l'avait achetée en 1900 pour célébrer le nouveau siècle. Edmonde le lui avait raconté à chaque fois que sa petite-fille s'installait devant, bien avant qu'elle sache coudre. Edmonde, ce matin, fait aussi partie de ce bourdonnement qu'elle n'arrive pas à faire taire dans sa tête.

À chaque fois que la crise affole son esprit, elle n'a qu'une solution : se murmurer des récitations qu'elle a inventées. La récitation des objets de la maison par exemple (qu'elle évitera pour ne pas avoir à prononcer le mot « couteau »). Ses récitations qui lui servent de tuteurs pour éviter de s'effondrer ont des effets immédiats. Elle en a toute une collection : la récitation de la couture, la récitation des chanteurs et des chansons, la récitation de *The Voice* et de tous ces inconnus aux voix d'or qui la font trembler, ou la récitation des choses du temps d'Edmonde. Il y en a deux qu'elle aime plus que les autres : celle des ancêtres et celle des oiseaux grâce auxquelles elle peut mesurer à quel point elle sait des choses extraordinaires. La plupart sont des listes d'actions du quotidien ramassées en phrases courtes ou bien des listes de mots et de noms, identiques à des listes pour faire les commissions, des énumérations aussi de choses apprises chaque jour de sa vie, des choses simples, vues ou connues. Toutes ces récitations n'ont qu'un seul objectif : l'aider à tenir le monde à distance en faisant des inventaires. Là, elle choisit la récitation de la vie ordinaire :

Je me lève tôt vers six heures,
Je me lave,
Je m'habille et je fais attention d'être toujours jolie,
Je me maquille à peine,
Je descends faire un café,
J'aime prendre mon café toute seule,
J'écoute les premiers appels des oiseaux,
Je prépare le petit déjeuner des enfants,
Je les réveille,
Je suis rassurée quand je les entends se lever,
Ils descendent et allument la télévision,
La maison recommence à vivre,
Ils regardent des dessins animés,
Sonia est la dernière à boire son café au lait.
Elle ne peut pas résister à Heidi et ses montagnes tyroliennes.
Je le regarde quelquefois avec elle,

J'aime bien cette petite fille qui ne grandit pas et qui ne pense qu'à faire le bien.
Ils prennent le car scolaire au dernier moment
Puis ils disparaissent toute la journée...

Ensuite, elle ne sait plus. Depuis qu'elle est au chômage, elle ne sait plus ce qu'elle fait après le départ des enfants. Incapable de trouver la suite de la récitation une fois qu'ils sont montés dans le car scolaire. Alors, elle recommence sa litanie du lever jusqu'au départ des enfants, deux fois, trois fois mais elle bloque au même endroit : après leur départ, elle est seule et elle ne sait plus. C'est le trou noir. Elle regarde la télévision. C'est sûr. Mais elle ne se souvient plus de ce qu'elle a vu. Quelquefois, quand c'est trop difficile, elle va sur Internet, refait les gestes qu'Igor lui a appris et tape le nom de S H I R L E Y B A S S E Y. C'était aussi la chanteuse préférée d'Edmonde. *Tu vois*, disait-elle à Reine, *quand le communisme sera là toutes les femmes seront belles comme Shirley*. Elle admirait la jolie métisse venue des quartiers pauvres du pays de Galles qui avait commencé sa vie en travaillant à l'usine. Faut voir ce qu'elle était devenue, nom d'un chien ! Sublime la Shirley, toujours impériale, toujours parfaite. Même sur les photos on a l'impression qu'elle sent bon. La voix de la chanteuse anglaise l'éblouit et remplit ses jours sans distraction. Edmonde lui avait fait écouter tous ses disques et Reine, déjà enfant, pleurait sans savoir pourquoi. Ça venait de la voix. Personne, en dehors des pauvres, ne peut crier si fort. Et qui d'autre qu'une femme née invisible peut pousser ce cri jusqu'au chant le plus puissant pour apparaître au monde et dire : « Je suis là » ? Reine le dit sans arrêt : « Je suis là », mais sans réussir à obliger le monde à la regarder et à l'entendre. C'est la colère qui lui manque. Elle n'y arrive pas. Son corps ne sait plus que s'engourdir dans le malheur. Si seulement elle pouvait crier, ça finirait bien par sortir d'elle. Peut-être que sa bouche est trop petite pour contenir un cri si grand. Si seulement Edmonde lui avait appris à vivre seule, à ne pas avoir besoin des autres et à lire des livres, peut-être qu'elle pourrait se mettre en colère. C'est ce qu'elle se dit. Elle ne se souvient pas d'avoir déjà ressenti la colère monter en elle. Même enfant. D'ailleurs, elle ne se souvient pas d'avoir été une enfant. Plutôt une sorte de miniature de la femme qu'elle est aujourd'hui ; à moins que la femme qu'elle est devenue ne soit que l'agrandissement de l'enfant qu'elle a toujours été. Elle serait donc avec le temps devenue une enfant difforme. Un peu monstrueuse ? Sûrement.

Aujourd'hui, elle a trente-cinq ans, elle a pris du poids, elle n'a pas lavé ses cheveux depuis trois semaines. Elle est au chômage depuis trois ans. Et son mari est parti en jurant de lui reprendre ses enfants. C'est ce qu'il a dit en partant. Je vais te les reprendre ! Et depuis, il les réclame à cor et à cri. Mais quand elle dit « à cor et à cri » elle ne pense pas à la corne des chasseurs à courre, elle comprend « à corps et à cris ». Et elle l'imagine en train de crier son désir de lui voler ses enfants avec toute la puissance de son corps d'homme et de sa voix de fumeur. À corps et à cris, il répète qu'elle est incapable de les élever. Qu'elle est une mauvaise mère. Qu'il aura des témoins.

Olivier occupe encore un grand pan de ses pensées, mais des pensées sans amour. Il a cessé de la désirer après la naissance de Sonia. Ça, elle s'en souvient bien, même si elle ne s'en était pas inquiétée. Il avait dit : *Trois enfants ça suffit, on n'en fera pas un quatrième !* Elle était prête à en faire un par an. Elle n'a jamais vécu ses grossesses comme la conséquence de son accouplement avec Olivier mais plutôt comme une division d'elle-même, de son corps. Ou alors il a cessé de la désirer parce qu'elle avait grossi. C'est vrai. Quatorze kilos en cinq ans. Pas à cause de ses grossesses. Non. C'est le vide de son ventre qu'elle a rempli de sucreries ou de pizzas et de hamburgers congelés du supermarché.

Elle se raconte des histoires. Elle le sait mais elle a toujours eu besoin de tourner autour de la vérité, tout comme avant d'aller cueillir une fleur dans un jardin on en profite pour faire un tour complet des massifs et s'assurer qu'il n'y a pas de fleur plus parfumée à couper. La vérité est simple : Olivier a grandi plus vite qu'elle. Il est devenu un homme en même temps qu'il devenait un père. Tant qu'il est resté un enfant à jouer avec ses seins, son ventre, à dévorer son sexe, ses fesses et sa bouche, tout pouvait continuer sans poser le moindre problème. Elle s'en réjouissait, sans mesurer l'écart qui se creusait peu à peu entre lui qui grandissait et elle qui ne grandissait pas. Le corps de Reine n'était pas non plus celui d'une petite fille même si Olivier avait l'impression qu'elle n'arrivait pas à être une femme. Cette immaturité avait commencé par l'inquiéter, le gêner ensuite, pour finalement le dégoûter.

Il a toujours rêvé vivre au bord de la Méditerranée sans jamais y avoir mis les pieds. Il disait : *C'est ça, un vrai rêve. On ne rêve pas aux choses qu'on connaît.* Reine n'avait pas compris qu'il ne rêvait plus d'elle depuis longtemps. Aujourd'hui il vit avec une autre femme, pas au bord de la Méditerranée, au bord de l'Océan. À quarante ans il s'est trouvé une veuve de Biarritz, sur un site de rencontres. Il est toujours aussi beau, peut-être même un peu plus. L'âge a donné de la profondeur aux traits creusés de son visage. C'est surtout à cause du soleil qu'il est parti. C'est ce qu'il a écrit. Besoin de soleil/envie d'océan/Prendre le large/Désolé. Pas un mot sur les enfants, mais le message ne leur était pas destiné non plus. Certaines nuits, quand elle pense à l'autre femme, elle l'appelle « la femme Atlantique », magicienne maléfique qui retiendrait son mari captif entre les vagues et les rochers. Reine ne joue pas avec les légendes antiques, elle les invente avec sa douleur.

Depuis le début de la procédure de divorce, Olivier a fini par comprendre deux choses : les enfants n'appartiennent naturellement pas aux pères, mais heureusement la Justice peut les leur rendre si la mère est défaillante. C'est là-dessus qu'il mise, sur les défaillances de Reine.

Alors il a commencé à mener une bataille sans scrupule. Ce qui explique ces hordes d'assistants judiciaires, d'assistants sociaux et autres qui ont harcelé Reine toute l'année passée. On lui a même assigné une avocate commise d'office. La seule chance pour Reine de garder sa bête à trois têtes serait que la « femme Atlantique » n'aime pas les enfants et réussisse à convaincre Olivier de les abandonner. Elle les lui enverrait pour les vacances, comme font tous les gens divorcés, et ce serait suffisant. C'est un comble ! Elle compte sur cette femme qu'elle n'aime pas.

La dernière fois qu'il est venu, il a raconté des merveilles à ses enfants, qu'on voyait les vagues de la terrasse de sa nouvelle maison : *Ça claque et ça parle. Ah ça oui, les vagues parlent les enfants, vous verrez.* Il n'a même pas eu un regard pour Reine. Alors, elle est sortie emportant avec elle la fin de sa phrase, « vous verrez », qui ne l'incluait pas. Déjà oubliée. Rejetée de leur histoire. Bientôt effacée du monde. Ce jour-là, en regardant l'état d'abandon du jardin qui ressemble à une décharge devant sa maison, elle a eu l'impression qu'il n'y avait pas de différence entre ce qu'elle voyait autour d'elle et ce qu'elle ressentait à l'intérieur d'elle. Mais elle ne pouvait pas plus agir sur le jardin que sur elle-même.

Avec le peu de mots qu'Olivier a dits, Reine a imaginé au-dessus de ces vagues qui claquent et qui parlent la femme Atlantique et la maison en même temps, les deux d'un seul bloc, indissociables. Cette femme est une maison. Ça doit être ça, « une vraie femme ». Il l'avait dit avant de la quitter pour justifier son départ. *Cette femme est une vraie femme.* C'est normal, se dit Reine, elle est plus âgée que lui. De sept ans peut-être. Veuve. Une commerçante avec un peu d'argent. Elle tient une grande quincaillerie à Biarritz. Blonde décolorée qui ne manque pas de charme. Le genre de femme qui doit aimer les caresses d'Olivier. Une villa bien perchée avec jardin. Mais pas un jardin-décharge, un jardin-mimosas qui descend l'hiver en cascade sur l'océan, avec terrasse, parasols jaunes à franges blanches, salon de jardin en fer forgé blanc et coussins jaune canari et blanc. Reine ne peut s'empêcher de mettre du jaune autour de cette maison qu'elle n'a jamais vue. Sûrement pour fourrer du soleil partout dans cette image de la femme-maison qui risque de la dévaster si elle s'y attarde un peu trop. Peut-être qu'Olivier n'est pas aussi sûr de lui au fond, sinon il aurait pris son chien. Sauf si la femme Atlantique n'aime pas les chiens. N'aimer ni les enfants ni les chiens, c'est impossible ça ! Alors peut-être qu'elle voudra les enfants si elle n'aime pas les chiens. Le vieux berger allemand n'a même pas fait la fête à son maître la dernière fois qu'il est venu, il s'était déjà consolé de sa perte auprès des gosses qui le lui avaient bien rendu en l'acceptant la nuit au pied de leur unique lit dans lequel ils dorment tête-bêche. C'est plus fort qu'elle, à chaque fois qu'elle évoque ce clebs qui n'a pas d'autre nom que « le chien », ou qu'elle croise son regard implorant et triste, elle pense à Olivier. Elle ne peut s'empêcher de penser à cet homme qu'elle n'aime plus, tout en espérant son retour. Elle est perdue. Plus un vivant autour d'elle. Il ne lui reste que ses mortes pour lui venir en aide, les saintes de la famille qui sont toutes endormies au cimetière près d'Edmonde. La disparition d'Edmonde a été comme un trou dans le grand tissu de sa vie. Et elle l'a reprisé, comme elle a pu, avec des souvenirs de gros cotons, tressés avec les fils de laine des pensées effilochées de son enfance. Edmonde est devenue une broderie toute boursouflée dans son cœur.

Toujours cette idée du travail qui creuse en elle un abîme plus acide que la faim. Elle n'arrête pas de penser à cette place qu'elle a ratée. L'annonce avait été rédigée de manière simple. *Établissement de pompes funèbres. Recherchons personne qualifiée ou pas. Qualités indispensables : Propreté et gentillesse.* C'est rare de trouver ces mots dans une offre d'emploi. Ça l'avait encouragée à appeler. Elle s'était rendue à pied jusqu'à la cabine téléphonique qui venait d'être réparée. La conversation avait duré longtemps. C'est comme ça qu'elle avait appris que M. Chavarot était le dernier fils d'une longue lignée de croque-morts depuis presque un siècle et qu'il cherchait à remplacer son thanatopracteur bientôt à la retraite. Ce mot, « thanatopracteur », avait plu à Reine parce qu'il ressemblait aux mots qu'elle inventait.

Elle se serait bien vue faire ce travail, d'autant plus que l'homme avait insisté sur la nécessité quelquefois de faire de la couture : les morts grandissent et il n'est pas rare qu'il faille défaire les ourlets de certaines manches ou de certains pantalons pour leur éviter d'être ridicules dans des vêtements trop étroits. La longueur des manches et des jambes de pantalon est un détail qui a son importance, avait-il insisté. C'était parfaitement dans ses cordes. Travailler avec des morts ne pouvait pas être pire que travailler à l'usine. Et puis, les morts, sûrement à cause de sa proximité depuis l'enfance avec les ancêtres, lui faisaient au fond moins peur que les vivants. Ça risquait même d'être assez agréable de préparer des hommes et des femmes à devenir des fantômes.

« Sachez que vous êtes la seule à avoir répondu à mon annonce », avait-il insisté après un silence si long qu'elle avait cru que la communication avait été coupée. Puis, comme revenu à lui, Monsieur Chavarot avait été encourageant : les gestes, elle les apprendrait vite, les subtilités du métier viendraient avec le temps, la place était libre et elle pouvait commencer le lendemain. Mais sans voiture, sans vélo, sans arrêt de bus, comment parcourir tous les jours la trentaine de kilomètres qui la séparait de la maison Chavarot ?

Après cette conversation inattendue, elle avait eu l'impression, en retournant chez elle, d'être plongée dans un silence qui effaçait le monde autour d'elle au point de lui faire entendre battre son cœur, même si elle ne savait plus pour qui il battait.

Ce matin encore, elle repense à ce travail que plus personne ne veut faire parce qu'elle sait qu'il n'y a pas de meilleure place pour elle que là où les autres ne sont pas.

Quand les pauvres n'en peuvent plus, ils prennent des balais qu'ils chevauchent et montent au ciel pour échapper à l'injustice sur terre. C'est ce qu'elle raconte souvent à ses enfants qui ne la croient pas. C'est un film en noir et blanc qu'elle a vu une nuit à la télévision. Un film italien du *Cinéma de Minuit* dont elle a oublié le titre. Mais pas les images.

Pourquoi les enfants ne font aucun bruit ? Sa jambe tremble. Pour la calmer, elle actionne avec son pied la pédale de la vieille machine à coudre. Ce rythme canalise sa peur sans l'évacuer. Il évite à ses pensées d'aller dans tous les sens. Elle se concentre sur les images du film qu'elle convoque facilement, surtout celle de ce garçon joufflu et sans malice qui a perdu sa mère et traîne dans la ville. Elle revoit la vieille mère morte, une autre Edmonde, qui court au secours de son enfant. Elle est au-delà de l'au-delà, son visage occupe tout le ciel. Elle vole la Colombe du Seigneur qui a le pouvoir d'exaucer tous les vœux des pauvres. Elle la lui donne. Et les miracles se succèdent sur le terrain vague où se sont réfugiés tous les pauvres d'Italie. Hélas, des anges policiers, des ombres descendues sur terre, reprennent la Colombe au garçon innocent. La mère, qui n'en fait qu'à sa tête, vole à nouveau l'oiseau et le rend à son garçon joufflu. Mais il n'a plus droit qu'à un seul vœu alors qu'ils ont tous été embarqués dans les paniers à salade de la police romaine. Alors il fait un vœu, le dernier : qu'ils s'évadent tous ensemble. Les fourgons s'arrêtent, les portes arrière s'ouvrent et les pauvres déguerpissent dans le ciel, sans effort, pour échapper à l'injustice sur terre. Reine ne connaît pas de plus beau film. Tout a l'air si vrai dans les films en noir et blanc. Elle ne veut rien d'autre pour ses enfants que leur faire échapper à l'injustice. Oh oui, s'envoler ! Ça, ce serait bien. Seulement, dans la vie, dans la couleur, est-il possible de s'envoler dans le ciel sans mourir ?

S'envoler. Elle sait de quoi elle parle. Tous les jours, elle observe les oiseaux et les nourrit. Tous les jours elle en tire la même leçon : les oiseaux ne sont jamais tristes. Jamais elle ne surprend en eux le moindre signe d'abattement. Toujours joyeux quoi qu'il arrive parce qu'ils savent qu'ils peuvent s'envoler là-haut à tout moment. Il doit bien y avoir quelque chose dans le ciel pour que tous les oiseaux s'y réfugient. S'ils trouvent de la nourriture sur terre la joie est encore plus intense. On dirait qu'ils ne comptent que sur leur appétit. La faim les fait sortir. Ils bravent tout. La pluie le vent la neige. Quand Reine le pouvait, elle accrochait des perchoirs et des paquets de graines au sommet d'une barre de fer au centre de la décharge qui recouvre le jardin. Les perchoirs et les paquets de graines sont vides, et le tas de ferrailles est encore plus inutile qu'avant. Lugubre. C'est sûr que des mimosas, ça met de la couleur en hiver. Le jaune est la plus belle des couleurs. Ici tout est sombre. Elle n'ose pas se dire « tout est mort ». Ces derniers jours elle n'a pu donner aux oiseaux que des miettes de pain dur que les enfants ont laissées sur la table. Très peu. Même pas une poignée. Les moineaux raffolent de ces miettes de pain parce qu'ils sont plus confiants que les mésanges ou que les bouvreuils. Ils viennent jusque sur sa fenêtre. Il y en a un – elle le reconnaît – qui la regarde en coin, bat légèrement des ailes, picore, la regarde à nouveau, lui piaille deux ou trois notes sans chanter, recommence, picore, la regarde de son œil vif et rond et s'envole tout d'un coup. Heureusement qu'elle connaît les noms de tous les oiseaux et leurs cris. C'est Edmonde qui les lui a appris comme des choses survivantes de l'ancien temps qu'elle tenait elle-même de ses ancêtres en robes longues et noires. Reine se les récite pour faire diminuer toute cette tension. L'étourneau *jase,* la mésange *zinzinule,* l'alouette *grisolle,* la caille *carcaille,* la bécasse *croule,* la huppe *pupule,* la buse *piaule,* la tourterelle *gémit,* le canard *cancane,* la chouette *chuinte,* le hibou *bouboule,* le serin *ramage,* la cigogne *craquette,* la colombe *roucoule,* le jars *jargonne,* le corbeau *croasse,* la corneille *corbine.* Il n'y a que le coq de basse-cour qui chante ! Cette récitation inventée par Edmonde a encore un pouvoir sur elle, et sur les enfants aussi quand elle la leur récite à toute vitesse. Ils en rient aux éclats. Ils essaient à leur tour. Ils trébuchent sur les mots. Et les rires repartent. Les enfants sont comme les oiseaux, il leur en faut peu pour redevenir joyeux.

C'est peut-être la chose qui l'impressionne le plus dans ce monde : la joie des bêtes sauvages pour la vie ordinaire. C'est leur façon de faire savoir qu'elles sont vivantes. Recommencer inlassablement la même danse tous les jours. Parce que c'est une danse dont elle peut mesurer les séquences des pas sur le rebord de sa fenêtre couverte de neige. Ce matin il fait trop froid pour neiger et elle ne peut même plus acheter des pains de graines pour que les oiseaux ne se fatiguent pas à trouver de la nourriture. Ils savent qu'il n'y a plus rien à manger par ici et ils sont partis. Trouver de la nourriture est donc plus important que de lui tenir compagnie. Les oiseaux ont emporté leur joie plus loin sans plus penser à elle. C'est un peu ce qu'Olivier a fait. Il a emporté sa joie d'homme ailleurs.

Elle se débobine toujours et ne sait pas comment arrêter ce mouvement qui la tourmente. Elle a beau se réciter sa vie quotidienne ou les noms des cris de tous les oiseaux, ça continue à agir autour et à l'intérieur d'elle, de la même manière que l'onde d'un cauchemar se prolonge après le réveil. Ne pas bouger. Surtout ne pas bouger. Ne pas regarder le couteau de cuisine qu'elle a posé au milieu de la nuit sur la table. Ne pas le toucher. Surtout ne pas le toucher. Rester devant sa machine à coudre. Elle connaît le pouvoir des objets sur elle. Si elle touche sa machine à coudre, elle se met à coudre ; si elle touche une casserole, elle cuisine. Si elle touche ce couteau... Souvent les enfants sont obligés de lui demander à quelle heure ils vont manger pour qu'elle comprenne qu'ils ont faim, surtout si elle s'est mise à la couture. Elle oublie facilement la réalité de tous les jours quand elle se laisse emporter dans les heures. Elle a honte.

C'est elle qu'elle entrevoit enfin dans le reflet de la télévision éteinte. Elle reconnaît la mendiante. Au moins elle se réapparaît. Ça doit aller mieux. Elle murmure une nouvelle fois la phrase qui lui est venue sans la penser, rien que pour l'entendre. *Tout finit dans l'absence et le silence absolu du monde*. C'est effrayant cette phrase que la nuit a collée sur sa bouche avec la douceur écœurante d'un baiser empoisonné. Il avait bien fallu un silence de meurtre pour que cette phrase vienne la sortir de son hypnose. Ne rien faire. Ne rien provoquer. Elle doit traverser la crise seule. Se la manger ! Alors la vie de tous les jours pourra recommencer.

Elle sait qu'au moment où les enfants se lèveront ils ne manqueront pas d'allumer la télévision sans même lui adresser la parole jusqu'à ce qu'ils partent pour l'école. Elle est injuste, Igor viendra l'embrasser. Il le fait chaque matin pour les deux autres, sans s'attarder, trois baisers rapides, un pour chacun. Igor la bouleverse. Sacha et Sonia sont différents. Sacha veut devenir militaire et Sonia chanteuse de variétés. Quand on leur demande pourquoi, ils répondent « c'est comme ça » ou « parce que ». Pas de vraies passions, à peine des taches de vin, des anomalies liées à ses excès pendant qu'elle les attendait. Tout le temps où elle a été enceinte de Sacha elle a regardé en boucle le DVD d'*Officier et Gentleman*. Pour Sonia, elle a regardé *La Nouvelle Star*. Sans rater un seul épisode. En revanche, tout fut différent pour Igor. Un temps de plénitude qu'elle ne s'explique pas mais qui a fait d'Igor quelqu'un qui ne ressemble ni à sa mère, ni à son père. Tout le monde le dit : *Mais d'où il sort celui-là ?* C'est vrai. Même Reine se pose encore la question tant elle est émerveillée. Igor a toujours été une personne singulière. Libre. Attentif. Intelligent. Inquiet aussi. Mais son inquiétude découle de ses autres qualités. Signe particulier : il a le même goût que son Edmonde pour les livres et l'histoire, alors qu'il ne l'a jamais connue. C'est pour ça que son fils la bouleverse tant. Edmonde le lui avait dit un jour où Reine s'inquiétait de ne pas aimer lire : *Tu verras ça saute une génération*. Elle avait encore raison.

Le piaillement d'un moineau oblige Reine à quitter sa place devant sa machine à coudre. Éviter absolument la table de la cuisine et le couteau sur la table. Comme il n'y a pas de miettes sur le rebord de la fenêtre, l'oiseau ne s'attarde pas. Impossible de le retenir. Le regard de Reine s'élève, suit l'envol, se perd un moment dans la grisaille du ciel où le moineau a disparu, puis quitte le ciel pour redescendre sur terre. La terre ce matin se limite à cette décharge qui fut un jardin.

Plus une fleur. Pourtant c'était un très joli jardin quand ils sont venus s'installer ici, Olivier et elle, après la mort d'Edmonde. Parfaitement bien entretenu par l'ancienne locataire. À quel moment le jardin s'est transformé en dépotoir ? Chaque année un rosier maigrichon mais tenace se fraye un chemin entre la ferraille pour porter le plus haut possible un seul bouton par an. Elle l'attend ce bouton. Lorsqu'il apparaît il s'étouffe sur sa tige et se fane sans éclore. Mais elle le coupe pour le mettre dans un ancien flacon d'eau de Cologne, seule solution pour qu'il s'épanouisse un peu avant de mourir. Ensuite, elle récolte les pétales pour les faire sécher. Elle pense au jardin sous la ferraille, comme s'il était entièrement plié en dessous. Peut-être qu'il suffirait d'enlever toutes ces ordures pour qu'il se déploie à la manière des images en relief des livres d'enfance de sa mère qu'Edmonde avait conservés et desquels surgissaient des châteaux féeriques et des forêts de Russie enchantées. C'étaient les seuls livres qu'elle avait aimés parce que c'étaient des livres qui se regardaient. Si seulement elle savait où ils sont passés.

Ça va mieux. Elle recommence à penser à de jolies choses. Au jardin à sauver. Aux oiseaux qui picorent. Aux livres d'images. Aux ancêtres dans la boîte à chaussures. La tragédie se dissipe en elle. Le jour a fini par déchirer tout ce brouillard. Le ciel apparaît presque bleu.

Ça bouge à l'étage. Oui, c'est bien du bruit. Les enfants se lèvent. Elle a envie de crier sa joie de ne pas être une femme qui tue ses enfants. Elle pourrait danser. Elle se contente de sourire. Toute cette nuit s'efface d'un coup sur son visage. Plus que quelques secondes à attendre. Elle compte jusqu'à dix. Le compte à rebours a commencé. Sacha, Igor et Sonia apparaissent dans la cuisine. Igor lui fait trois baisers rapides sur les joues, la télévision s'allume, Heidi apparaît à l'écran. Le monstre à trois têtes a repris ses places. Elle prend discrètement le couteau, mais sans crainte, et le range dans le tiroir.

Les mains inutiles

Ça y est, ils se sont envolés pour l'école. Reine est seule à nouveau. Elle ne peut décrocher son regard d'une poupée russe avec laquelle elle a beaucoup joué dans son enfance. Edmonde l'avait gagnée à la tombola d'une fête de la cellule du Parti. C'était il y a très longtemps. Rien ne ressemble plus à Reine que cette poupée qui en contient d'autres. Plus elle la regarde, plus elle se sent comme ça. Non pas encastrée dans les poupées mais englobant toutes les autres. Une femme pleine d'autres femmes. C'est pour ça que l'absence de père ne lui a jamais posé de problème. Elle n'a même jamais pensé à lui. Elle a grandi avec la conscience qu'elle appartenait à une longue lignée de femmes qui occupaient à elles seules tout le récit familial si cher à Edmonde. Des femmes qui n'avaient eu que des filles, même si Reine a dérogé à la règle en mettant deux garçons au monde. Cela veut peut-être dire que c'est la fin de l'histoire.

Quand elle y réfléchit, Reine sait plus de choses sur ses ancêtres que sur Anna, sa mère. En appelant sa fille par ce prénom, Edmonde avait voulu rendre hommage à l'héroïne de Tolstoï, Anna Karénine, qu'elle avait lu plusieurs fois, bien accoudée à sa table de cuisine.

La mère de Reine s'était enfoncée très tôt dans la lecture, transformant sa vision du monde et de la nature humaine en lisant dès l'âge de quinze ans les *Chants de Maldoror* et *Les Fleurs du mal*. Ces textes avaient révélé ou éclairé en elle la profondeur de son dégoût, qu'elle tenait en partie de sa mère, pour ce monde qu'elle appréhendait comme une pourriture. Elle aussi le dénonçait mais à la manière plus radicale des poètes. Anna fut donc une jeune femme libre des années 1970. Elle avait épousé le mouvement hippie, était passionnée de musique rock, des Rolling Stones à Santana en passant par Janis Joplin qui resta pour elle un modèle jusqu'au bout et surtout de Marianne Faithfull à qui elle ressemblait comme deux gouttes d'eau ; et puis aussi par toutes sortes d'extravagances comme vivre nue, poser pour les élèves des Beaux-Arts, faire la manche, manifester, porter des robes gitanes, s'asperger de patchouli et vénérer quelques déesses à plusieurs bras. La révolution commençait, disait-elle à sa mère, par soi-même et non par le monde. Elle ne fit que s'achever avec elle.

Anna ne crut qu'en la puissance de la poésie, presque en sa magie. En l'invention d'un monde parfait mais construit à la lisière du monde ordinaire des marchands et des esclaves. Le bonheur qu'elle avait imaginé, en marge de la société, passait obligatoirement par une destruction de toutes les valeurs qu'elle connaissait en commençant par le jardin d'Éden communiste d'Edmonde qu'elle n'hésita pas à piétiner. Elle voulut tout renverser, tout reconsidérer, tout réinventer sans mesurer à quel point elle était elle-même la cible favorite d'autres marchands sans scrupule. Elle mourut d'une overdose d'héroïne frelatée quelques semaines après la naissance de Reine le 1er septembre 1981. Sans doute Anna avait-elle cherché à atteindre plus rapidement ce paradis tant promis par sa mère, même si celui-ci fut plus psychédélique que communiste.

C'étaient les cris du nourrisson provenant d'un squat de la rue des Chaussetiers à Clermont-Ferrand qui avaient alerté les voisins. Edmonde s'y était rendue sur-le-champ. La petite, sale, couverte de rougeurs et prise de diarrhées, braillait dans un taudis sans chauffage mais elle était bien emmitouflée dans le manteau afghan à poils longs de sa mère. Au lieu de s'effondrer, Edmonde fut envahie par tout autre chose. C'est un poème qui lui vint à l'esprit. Elle ne pouvait célébrer sa fille morte qu'avec la poésie. Des vers entiers appris par cœur à l'école communale lui revinrent par vagues devant la misère de cet endroit où sa fille avait vécu et où l'enfant venait de naître :

Son âme en s'enfuyant, sinistre, avait jeté
Ce grand cri de la mort qu'entend l'éternité !
La mère, se sentant mourir, leur avait mis
Sa mante sur les pieds et sur le corps sa robe,
Afin que, dans cette ombre où la mort se dérobe
Ils ne sentissent pas la tiédeur qui décroît,
Et pour qu'ils eussent chaud pendant qu'elle aurait froid.

La poésie de Victor Hugo ne fut pas une consolation. Se réciter ces vers lui rappelait qu'au fond rien n'avait changé. La petite n'avait pas mal. Elle avait faim. C'est comme ça qu'Edmonde interpréta ses cris. Elle la prit dans ses bras et l'emporta comme Jeannie dans le poème *Les Pauvres Gens* emporte chez elle les enfants de la morte. Tout le monde pensa qu'Anna avait bien cherché ce qui lui était arrivé. Sauf Edmonde. Elle se garda bien de régler ses comptes avec une fille morte et ravala sa douleur de mère pour montrer à la petite que le chagrin était aussi fécond que le bonheur.

Edmonde déchira jusqu'à la dernière photo de sa fille. Aucune punition dans ce geste, juste la volonté de tout recommencer de zéro mais avec sa petite-fille qu'elle porta aux nues dès son premier regard et qu'elle baptisa du nom de Reine. Longtemps, la petite fille eut du mal à concevoir qu'elle était orpheline même si elle devait faire face, à l'école, aux nombreuses questions qu'on lui posait sur l'absence de sa mère. Impossible de dire qu'elle n'en savait rien ; ou pire encore, d'avouer que sa mère était morte. Incapable de mentir non plus, Reine décida d'inventer des réponses qui n'étaient pas des mensonges et qu'elle appela « des imaginations ». Plus ce qu'elle inventait était invraisemblable ou extravagant, plus elle en était satisfaite et jouissait pleinement de ces destins extraordinaires qui donnaient un sérieux relief à cette absence. Une fois, sa mère avait été kidnappée par des Indiens en Amérique. Une autre fois, elle faisait du cinéma mais avait du mal à percer, ce qui expliquait qu'on ne la voyait dans aucun film. Puis sa mère fut tour à tour aventurière, meneuse de revue au Lido, chanteuse noire en Amérique ou encore espionne. Tout dépendait de ce qu'elle apprenait sur le monde à la télévision jusqu'au jour où Edmonde décida de lui acheter une nouvelle paire de chaussures. Comme il y avait des travaux sur la route, le chauffeur du car dut faire un grand détour.

Grâce à cette bifurcation, Reine passa, pour la première fois de sa vie, au pied de la statue de la Vierge de Monton qui fut une révélation. Immense, toute blanche, plus grande que les arbres, la Vierge portait un enfant dans ses bras et marchait sur un énorme serpent de la taille d'un boa, preuve que cette mère n'avait peur de rien. Parce qu'il ne faisait aucun doute qu'il s'agissait d'une mère. C'était aussi la seule chose qu'Edmonde lui avait dite : *Ta mère n'avait peur de rien.* Même si elle le disait avec un profond regret dans la voix. De retour à l'école elle s'empressa de pouvoir dire enfin que sa mère était morte. Mais qu'elle vivait au ciel, comme sa grand-mère le lui avait dit, communiste ou pas. Qu'elle était très grande. Qu'elle avait eu un petit frère que sa mère avait emporté pour ne pas être seule là-haut. Et surtout, qu'elle écrasait les serpents avec ses pieds. Des gros serpents. Toutes ses camarades reconnurent la Vierge de Monton et lui promirent le pire des châtiments célestes pour avoir osé toucher au sacré des choses apprises au catéchisme ! La plus virulente de toutes, excédée aussi par les mensonges de Reine, la condamna sans appel en l'accusant de « blasphémateuse ». Comme Reine n'allait pas au catéchisme, elle ne pouvait pas connaître le sens de ce mot qu'elle n'avait jamais entendu, ni corriger la faute de français. Reine supposa que « blasphémateuse » désignait une espèce de folle, sujette aux apparitions.

C'est à cette époque que la couture commença à occuper sa solitude d'enfant rejetée par les autres. Reine appela alors son unique poupée Anna-Vierge. Puis, mesurant l'abus qu'il y avait à affubler un jouet du prénom d'une morte, elle l'avait rebaptisée Vierge-Annette. Et c'est pour elle que Reine réussit à ourler son premier voile, ou plutôt linceul, à sa déesse mère. Elle la coucha dans une boîte à chaussures dont elle avait capitonné l'intérieur. Vierge-Annette, qui ne parlait pas, qui ne souriait pas, qui ne marchait pas, qui ne pensait pas, qui ne grandirait plus et qui serait toujours toute raide eut droit aux meilleurs traitements de la part de Reine qui ne tarda pas à lui conférer le statut de Sainte, peut-être même capable de miracles. Régulièrement, elle rouvrait ce tombeau de carton pour y ajouter toutes sortes de merveilles, des boutons, des pierres de couleur, des agates qu'elle récupérait dans la cour de l'école, une étoile de mer qu'elle avait trouvée dans un tiroir du buffet Henri II, des perles de pacotille pour donner à Vierge-Annette une allure « carambole ». C'était le mot qu'elle avait inventé pour désigner quelque chose qu'elle ne connaissait pas : le baroque.

Reine n'est pas comme sa mère. Elle a de plus en plus peur. Les enfants sont vivants. Elle est heureuse. Mais incapable de se réjouir. Rien n'est réglé pour autant. Continuer à vivre, c'est les jeter à nouveau dans la pauvreté et dans le malheur. Les assistantes sociales vont revenir enquêter, comme elles l'ont fait toute l'année dernière, à cause du divorce en cours. Elle n'a toujours pas de travail. Pas d'argent. Aucun avenir. Elle n'a que sa machine à coudre d'un autre temps. Comment pourrait-elle faire face ? Même cette maison ne lui appartient pas. Elle la loue. Pas cher. Mais elle est petite. Deux chambres seulement à l'étage, la sienne, qu'elle n'occupe plus depuis le départ d'Olivier puisqu'elle dort sur le canapé, et celle des enfants. Le peu de chose qu'elle possède est là devant elle, dans cette décharge de ferrailleur à la place du jardin, toutes ces saloperies qu'Olivier a rapportées et accumulées pendant des années. Ça oui, ça lui appartient ! Toutes ces choses inutiles et laides c'est bien à elle. Comme si elle ne méritait rien d'autre. Le jour où il est parti il lui a dit : *vends tout, y a du cuivre, tu pourras en tirer une belle somme, c'est très recherché le cuivre.* Il avait dû le vendre avant, elle n'en a jamais trouvé.

Alors quand Reine récapitule tout ce qu'elle connaît et ce qu'elle sait faire, elle n'a rien d'autre que son don de couturière qui ne lui sert plus à rien. Edmonde a toujours su que sa petite-fille n'était pas bête, que son intelligence était d'abord dans ses mains et ne remontait dans son cerveau que lentement, après avoir démêlé ses pensées entre ses doigts de brodeuse. Alors, Reine se mettait à dire des choses qui ne seraient venues à l'idée de personne. Un jour, alors que les mains d'Edmonde étaient si blanches à force d'avoir lavé du linge, Reine lui avait dit : *Tu as des mains de lessiveuse* ; ou, plus impressionnant : *Je sais pourquoi il faut mettre des habits. C'est pour cacher ce que nous avons de plus beau, sinon on nous le volerait.* Ces petites phrases qui surgissaient sans qu'il y ait eu le moindre signe extérieur pour les susciter ravissaient Edmonde.

À part ces petits sauts dans la poésie, Reine a toujours été une enfant sérieuse. D'ailleurs, quand on lui demandait ce qu'elle faisait, elle ne disait pas « Je couds ». Elle disait « Je rapetasse ». Un mot des ancêtres passé de génération en génération, avant d'échouer dans sa bouche et qu'elle croyait avoir inventé. Elle avait fini par accepter le mot « coudre » quand elle avait compris qu'il était plus facile à prononcer avec un bouton ou des épingles serrés entre ses dents. Et puis elle ne se contentait pas de dire : *je couds* ; elle disait toujours : *je couds... en attendant.* Ce « en attendant » laissait entendre que Reine espérait quelque chose de plus grand qu'elle, mais sans savoir précisément ce que c'était, convaincue qu'elle ne le saurait que lorsque ça lui arriverait. Reine était donc prête à accueillir quelque chose d'extraordinaire dans sa vie. Elle l'est toujours d'ailleurs même si elle ne sait plus ce qu'elle doit faire et par quel bout elle doit prendre sa vie avec ses enfants. C'est une folie de croire encore à ces choses puisque tout l'a déjà abandonnée.

Reine a toujours aimé les mains qui travaillent. Les mains utiles, comme elle les appelle. Ça aussi elle le doit à la communiste. Quelquefois, dans un élan d'amour, il arrivait à Edmonde de prendre entre ses mains si blanches de lessiveuse celles de Reine, toutes petites, pour les embrasser, les couvrir de baisers et picorer sur ses mains d'enfant une nourriture dont elle ne se rassasiait pas. Edmonde lui souriait et ce sourire était pour Reine la preuve que ses mains ne seraient jamais des mains inutiles. Edmonde le disait à qui voulait l'entendre et même à ceux qui ne demandaient rien : *Reine a de l'or dans les mains.* Ce souvenir bouleverse encore Reine quand elle s'y réfugie. Mais Edmonde ne pouvait pas imaginer que la couture, comme l'industrie, finirait par n'intéresser plus personne. Elle ne pouvait pas savoir non plus que les femmes achèteraient, pour les plus aisées, du prêt à porter haut de gamme, et pour les autres, des vêtements coupés et cousus à la va-vite en Chine, en Corée ou au Maghreb. Si peu chers qu'on ne perdrait plus de temps à les repriser, et que le métier de couturière serait en voie de disparition. Jamais Edmonde n'aurait pu imaginer jeter sa petite-fille dans un néant où le travail des mains n'aurait plus aucune valeur. Impossible pour une femme qui avait traversé le XXe siècle de prévoir une telle désolation malgré tous les coups portés aux ouvriers dont elle témoignait dans un petit carnet en moleskine noir que Reine avait bien pris soin de déposer dans son cercueil. Edmonde y avait conservé, comme d'autres le faisaient avec les photos de vedettes du cinéma, les photographies découpées dans les journaux des morts tués au cours des grandes luttes ouvrières d'après-guerre.

Reine se souvient encore des noms de ces hommes inscrits au crayon de couleur rouge sous chacune de leurs photos qu'elle avait appris par cœur. Ce fut même sa première récitation. Edmonde savait que les martyrs, même les plus ordinaires, donnent de la force. C'est le seul pouvoir qu'il leur reste. Alors Reine pour la première fois depuis longtemps se met à énumérer de mémoire tous ces noms. Ce n'est plus une récitation mais une prière qu'elle fait en les invoquant, joignant ses mains inutiles. Les mineurs communistes Puzzoli, Raymond Penel, Joseph Chaléat, Henri Justet, Marcel Goio, Sylvain Bettini (ancien déporté de Dachau que les nazis n'avaient pas réussi à tuer), Max Chaptal, Antonin Barbier. Tous tués à bout portant, sauf le mineur Yansek (mort sous les coups de matraque). Elle aussi pense que tous ces gars ne peuvent pas être morts pour rien, même si tout le monde les a oubliés, comme tout le monde a oublié la femme qui s'est jetée dans le vide à New York. Immanquablement, le nom de Mitterrand vient aussi flotter dans sa mémoire. Ce n'était pas juste un nom. Durant toute l'enfance de Reine, Edmonde n'a jamais manqué, à chaque apparition du Président à la télévision, de rappeler à sa petite-fille que ce même homme, trente ans plus tôt, en qualité de porte-parole du gouvernement, avait été capable d'expliquer à la presse, et sans ciller, que c'étaient les ouvriers qui avaient tiré les premiers pour justifier ce massacre. Ça, Edmonde ne pouvait pas le pardonner et n'avait jamais pu supporter tout ce silence que cet homme avait réussi à créer autour de lui, le dernier homme à porter encore un chapeau, comme elle disait. Heureusement qu'elle garda dans son cœur ses héros de la classe ouvrière pour l'aider à croire en un sursaut des classes populaires. La voix de Shirley Bassey l'y aidait tout autant, même si elle fut, les dernières années de sa vie, convaincue de ne plus avoir le temps d'assister à ce feu d'artifice des peuples pour lequel elle s'était mise à prier tous les soirs en cachette après la chute du mur de Berlin. Le monde avait encore plus changé que du temps d'Edmonde, se dit Reine, on ne tue plus à bout portant les pauvres qui se rebellent. Aujourd'hui on les tue en les abandonnant, en les affamant, en les oubliant. Reine se dit que si ça continue on pourra ajouter son nom dans le carnet de moleskine.

Dégueulasse. Voilà ce qu'elle pense de tout ça. Dégueulasse, c'est le seul gros mot qu'elle dit, il lui convient, il ressemble à un crachat et fait parfaitement entendre le dégoût. Quand elle pense à toutes ces choses, ça lui fait mal jusque dans ses os.

Jusqu'à la nuit dernière, elle a résisté à tout. Et pour que ses mains soient utiles, elle s'était mise, « en attendant », à coudre ce qu'elle a appelé ses « tissanderies ». Des petits tableaux faits avec des tissus rembourrés qui donnent du relief, et racontent l'histoire de la machine à coudre, le cimetière avec les ancêtres sous la terre, son Edmonde tout en rouge, ses pensées, ses rêves aussi, et même quelques scènes érotiques avec des hommes plus petits que leurs phallus. Elle aime confectionner ces petits tableaux de chiffons qui lui prennent du temps sans lui coûter un sou tant qu'elle peut puiser dans son stock de tissus, d'aiguilles, de perles bariolées, de strass et de fils de toutes les couleurs. Elle enferme dans ces images ses souvenirs, ses peurs, ses chagrins, ses angoisses. Elle pourrait s'arrêter d'en coudre mais c'est plus fort qu'elle. Et puis, ça lui fait du bien. C'est ce qu'elle dit : « Ça me fait un bien fou. » Ça fixe son attention. Ça la recentre. À chaque fois elle a l'impression que son cœur se remet à battre doucement. Ses petites créations l'aident à trouver un rythme intérieur qui lui procure du plaisir. Même si le plaisir ces dernières années s'est borné à oublier le plus souvent possible le malheur. Rien d'autre. Il faudra un jour, demain peut-être, qu'elle fasse une tissanderie de cette nuit sauvage et suicidaire. Elle s'y représentera grosse, plus grosse qu'elle n'est en réalité, les cheveux hirsutes pour dire ses pensées folles, toute nue pour dire à quel point elle s'est sentie vulnérable, luttant, dansant avec un couteau géant couvert de sang surmonté de deux grandes ailes blanches comme s'il était aussi la promesse d'une résurrection possible. Comme si le couteau pouvait être Dieu lui-même. Le tableau ne dira pas qui a gagné ce combat. Rien que le combat. Rien que la danse folle.

Heureusement, personne ne l'entend se raconter ces images qu'elle rapetasse point de couture par point de couture, point de broderie par point de broderie, de perles, de strass, de galons. Elle pourrait y ajouter ses trois enfants devenus adultes : Sacha en militaire couvert de médailles et d'aiguillettes ; Sonia en chanteuse moulée dans une robe en lamé or, le col serti de plumes ; Igor... ? Elle ne sait pas. Il est plus secret que les autres. Il peut tout faire, tout devenir. Écrivain ? Possible. Avec tous les livres qu'il aura lus ! Peut-être même qu'il écrira sur leurs ancêtres. Encore faudrait-il qu'elle lui en parle, qu'elle lui raconte les femmes qui ont précédé sa venue au monde, ces folles de Dieu et de la terre et des hommes. Demain elle lui racontera. Il faut absolument qu'elle le fasse. Oui, Igor écrivain, ce serait bien. Elle qui a tant de mal à lire met, comme tous ceux qui ne lisent pas, le métier d'écrivain au-dessus de tout.

Les enfants sont encore à l'école. C'est une belle journée pour se rendre au cimetière. Peut-être que là-bas elle trouvera des réponses. Ça lui arrive souvent d'y trouver la solution à un problème. La tombe familiale est une des dernières qui ne soit pas un caveau. Rien que de la terre noire du pays qui se couvre très vite, surtout à partir du printemps, de mauvaises herbes si elle n'en prend pas soin. Entretenir la tombe c'est aussi la meilleure manière de s'entretenir avec ses mortes qui sont dedans comme des racines. Elle n'arrache pas les mauvaises herbes, elle les coupe pour renforcer les racines. Ça, c'est une chose qui lui reste de l'histoire paysanne de sa famille. Une tombe impeccable, sans mauvaises herbes tenaces, serait la preuve que les morts sont vraiment morts. Grâce aux photographies elle les connaît toutes : Olympe, son arrière-arrière-arrière-grand-mère. Olympe, la première d'entre toutes les femmes de la lignée, la mère de Madeleine qui économisa toute sa vie pour s'acheter une machine à coudre et qui mit au monde Marguerite la discrète mère d'Edmonde ; il y a aussi les tantes, les grandes tantes vieilles filles, même une qui était aveugle et qu'elle-même appelait encore, des générations plus tard, la tante méchante. Il y a aussi des hommes, les maris pour celles qui étaient mariées mais que la légende familiale a volontairement effacés. Alors, les taiseux ont été ensevelis dans leurs silences. Il y a aussi Edmonde dans sa petite robe bleu roi du dimanche. C'est comme ça qu'elle la voit dans son cercueil sous la terre. Elle le sait, c'est elle qui l'a habillée. Il y a aussi Anna, sa mère, passée dans ce monde le temps de déposer Reine avant de s'enfoncer à son tour dans la terre avec les autres. Faut quand même la compter. Pas d'ornement en dehors d'une couronne en perles qui date du temps d'Olympe, la plus vieille des enterrées. Les minuscules perles mauves et blanches sont travaillées en fleurs d'hibiscus et sertissent au centre de la couronne une plaque d'émail sur laquelle est écrit *À jamais*. Ordinairement, ce sont les vivants qui laissent des messages aux morts, *À ma mère bien aimée*, *À mon mari que je n'oublierai jamais*, *À notre père chéri* et autres fadaises sans imagination. Sauf dans une autre rangée, la tombe des deux frères résistants tués par les Allemands en 43 et sur laquelle leur mère avait fait inscrire « fusillés par les boches » pour que l'on n'oublie jamais, ou celle de ce jeune homme mort au champ d'honneur en 1917, la cartouche de l'obus qui l'a tué plantée au sommet d'une petite colonne qui aurait dû soutenir une croix. Il est enterré seul comme un nourrisson mort-né. C'étaient les deux autres tombes que Reine visitait régulièrement, comme le faisait Edmonde.

À jamais. C'est Olympe qui avait décidé de ce message adressé aux vivants. À la fois, je ne reviendrai jamais et nous serons toujours ensemble. Ces deux petits mots continuent d'émerveiller Reine. Presque un appel à la rejoindre dans cette éternité reposante. *À jamais*. Pour toujours. C'était quelqu'un, l'Olympe ! Et ce fut une sacrée dépense, cette couronne de perles ! Olympe avait économisé sou par sou, comme Madeleine pour sa machine à coudre à la génération suivante, en pensant aux mortes à venir et après avoir acheté cette concession à perpétuité. C'est comme ça qu'Edmonde l'avait racontée. La trisaïeule l'avait payée en cachant ses économies dans l'ourlet de sa robe. Les maisons se revendent, disait Olympe, pas la demeure dernière. Toute dépense devait produire une certaine éternité, et chaque chose devait durer parce qu'elle avait été durement acquise. Du coup, la tombe est toujours là, la couronne et la machine à coudre aussi. De bons investissements. Quand Reine vient parler avec ses endormies, il lui arrive de rester longtemps avec elles. En hiver elle repart quelquefois les lèvres gercées et les mains crevassées par le froid. Elle s'attarde à cause des petites récitations qu'elle invente pour elles et qui font office de prières. D'ailleurs, cette idée des récitations inventées lui vient d'Edmonde qui, tous les 11 novembre et les 8 mai, l'obligeait à lire sur le monument aux morts et à haute voix les noms de ceux qui ont été tués au champ d'honneur ou ailleurs, ceux qui avaient donné leur vie pour la France durant les deux grandes guerres. Edmonde attendait que tout le monde soit parti et s'y rendait avec sa petite-fille. Viens, c'est le jour de faire la prière des soldats.

Faire des listes de mots pour se recueillir lui apparut d'une grande efficacité. Comme ça, on n'oubliait rien, ni personne.

Il y a quelque chose de religieux et de sauvage là-dedans. Cette impression lui vient des longs moments qu'elle a passés dans l'église. Elle y était entrée une fois par hasard. Elle avait huit ans. Les portes étaient grandes ouvertes. Impossible de résister. Sa curiosité était plus grande que l'interdit qu'Edmonde avait posé. *Nous, on ne met pas les pieds à l'église.* Elle ne savait donc pas où elle entrait. L'église était vide. Une impression immédiate de bleu. La voûte en berceau était couverte du bleu des vignes et percée d'étoiles dorées. Les cieux de nuit sont plus sombres. Et ce fut une première étrangeté que de voir des étoiles scintiller sur un fond de ciel en plein jour. Ses pas résonnaient jusqu'à ce qu'elle se retrouve au pied d'un homme presque nu et crucifié qui la regardait. Il était immense et perché très haut. Si elle ne savait pas pourquoi elle était entrée ici, le regard de cet homme, si beau, blessé à la poitrine et couronné d'épines, suffit à donner un sens à sa transgression. Elle eut la nette impression d'avoir attendu le regard de cet homme toute sa vie. Un regard sans jugement, sans inquiétude et d'une infinie bonté. Même encore aujourd'hui, elle n'a jamais croisé un tel regard. C'est peut-être ce qu'elle attend sans le savoir, un regard qui ne serait pas un regard de désir, plutôt un regard qui la soulèverait jusqu'à elle-même, jusqu'à lui faire croire en elle. Que pourrait-on espérer d'autre dans sa vie ? Elle dut se rendre à l'évidence, cet homme agonisait sur sa croix. Cela voulait-il dire que seul un mourant était capable d'une telle compassion ? Jusque-là tous les regards qu'elle avait croisés ne lui avaient fait sentir que son insignifiance, même de la part d'Olivier. Reine devint une habituée clandestine de l'église. Jusqu'au jour où elle vit son Edmonde arriver, comme une folle. C'était quelques jours après la chute du Mur de Berlin qui l'avait laissée sans voix devant la télévision. Edmonde avait cru l'église vide et s'était agenouillée. Ou plutôt, tombée à genoux. Il y avait eu un grand bruit sourd. La communiste s'était mise à prier ! Elle marmonnait avec une ardeur que Reine ne lui connaissait pas. L'imploration lui était revenue naturellement. Ensuite, Edmonde était rentrée chez elle, ni anéantie, ni ressuscitée, pâle comme un linge et dit sans hésitation : *fallait que je renoue avec mes ancêtres*. Pas pour leur parler. Elle n'avait pas besoin de la chute du Mur de Berlin pour ça. Son paradis sur terre n'aurait donc pas lieu et elle n'eut pas d'autre choix que de reconnaître sa défaite. Ce fut sa seule capitulation. Elle fit allégeance en se raccrochant aux anciennes croyances, celles de son enfance. C'était fini.

Souvent, Edmonde appelait les mortes de la famille « mes trésors ». Mais ce jour-là elle les avait appelées « mes ancêtres ». C'est là que Reine a entendu ce mot pour la première fois. En se jetant dans l'église, Edmonde, dans un élan furieux, voulut s'adresser à celui qui avait rendu toutes ses ancêtres folles des choses du ciel, sans jamais faiblir dans cet amour jusqu'à leurs derniers souffles. Edmonde l'avait dit : croire, c'est faire comme les arbres qui poussent en direction du soleil, plus la forêt est épaisse et sombre, plus les arbres grandissent et s'étirent parce qu'ils ont plus à espérer de la lumière du ciel que des ombres de la terre. Ses ancêtres avaient fait la même chose pour échapper à l'obscurité du monde ordinaire.

Edmonde voulut à son tour se remettre à prier celui qui n'avait jamais déçu ni Olympe, ni Madeleine, ni Marguerite. C'était tout ce qui lui restait à faire si elle ne voulait pas laisser un jour Reine dans un monde vidé de sens. Elle finit par se dire que s'il devait y avoir un Dieu il ne pouvait être que le Dieu du Très-Bas. Sur ce point capital elle ne transigea pas et arriva à la conclusion qu'il allait bien falloir, après la chute de ce Mur, réinventer le paradis. Une sacrée défaite, même si ce paradis était un retour à celui de ses ancêtres ! Ces choses de l'ancien temps, du rêve communiste et de la religion, avaient fini par se rassembler. Ou se ressembler. Ces questions la travaillèrent chaque jour de sa vieillesse jusqu'à ce qu'on la retrouve morte dans sa cuisine. Ce fut Reine, à peine mariée de la veille, qui l'avait découverte toute froide sur le carrelage vers midi. La nuit de noces s'était prolongée tard dans la matinée. La communiste, inquiète pour Reine dont elle savait qu'elle ne pourrait pas vivre seule, mais aussi inquiète de l'avenir qui ne serait plus jamais agité par le rêve d'une humanité féconde, avait attendu que sa petite-fille se marie pour quitter ce monde, un chapelet entre les mains.

Aujourd'hui le bilan est simple. Reine est en fin de droits. Ses enfants sont en vie. Les oiseaux ne sont pas revenus. Elle est seule, cernée par toute cette opacité. C'est comme si elle n'avait jamais rangé sa maison et que la meilleure solution pour mettre fin à ce capharnaüm serait de la quitter ou d'y mettre le feu. Ce n'est quand même pas grand-chose, ce qu'elle demande. Avoir un travail. Edmonde et toutes ses ancêtres ont toujours eu du travail, même s'il s'agissait de quelques champs à labourer et à cultiver, traire quelques vaches pour le lait, le lait pour le beurre, le jardin pour les légumes, le blé pour la farine et le pain. Elle, elle n'a ni champ, ni blé, ni beurre, ni légumes. Tout ça se trouve au supermarché.

Si seulement sa vie était comme une vieille robe ou un vieux manteau usé, elle saurait la transformer pour en faire un habit neuf. Le seul petit rai de lumière qu'elle entrevoit lui vient du jardin, malgré le tas de ferraille. Mais c'est une lumière fatiguée, vacillante, qui a bien du mal à percer toute cette opacité.

Au fond, elle n'a rien voulu d'autre dans sa vie qu'inventer le paradis, sans pour autant l'étendre à toute la terre comme sa communiste d'Edmonde le lui avait appris. Reine voulait seulement l'inventer dans sa maison. Peut-être l'étendre jusqu'au jardin. Ça lui paraissait raisonnable. Plus réalisable que le paradis sur terre. Il fallait croire que non.

Le premier miracle

C'est le temps idéal pour tout virer et tout balancer. Ça, elle peut le faire. Une fois la décharge disparue devant sa maison, elle retrouvera peut-être bien le jardin. Très abîmé sûrement. Mais il ne tardera pas à se redresser, comme les images des livres de sa mère qu'elle regardait enfant. Ainsi, une fois déplié, il permettra aux oiseaux et aux papillons de revenir. Elle sait que la nature a une grande capacité de résurrection. Elle pense aussi aux enfants et à la surprise qu'elle pourrait leur faire quand ils rentreront de l'école et qu'ils découvriront un jardin de roses, de pivoines, un lilas et un coin de potager. Quand son excitation abolit le temps, l'enjambe et le dépasse ; quand ses rêves se fixent au point qu'elle les prenne pour la réalité, elle ne peut s'en décrocher ; tout en craignant une effroyable déception qui finira par la terrasser, quand la réalité s'imposera à elle. Et elle sait bien ce qu'est la réalité. Elle doit se raisonner. Non, il n'y a pas de jardin. Pas encore. Pas tout de suite. Pour l'instant il n'y a qu'un tas de ferraille et elle se récite la vérité du jardin pour étrangler toute exaltation.

Lits cassés,
Ressorts,
Vieux pneus crevés,
Tôles en fer et en zinc,
Barres de fer,
Morceaux de poteaux électriques,
Traverses de chemin de fer goudronnées,
Trois cuvettes de WC neuves.

Elle la répète à l'infini et, en un après-midi, elle réussit à tirer seule sur la route tout ce qui étouffait le jardin. Elle a si chaud malgré le froid qu'elle retire son pull-over. Son regard s'arrête sur les cuvettes en faïence blanche. Olivier avait imaginé qu'un jour chaque enfant aurait sa salle de bains et ses toilettes privées. Le souvenir de ce grand projet l'émeut tellement qu'elle remet les trois cuvettes en faïence de côté, non pas qu'elle espère qu'Olivier sera heureux de les trouver s'il revient, mais parce qu'elle reconnaît bien là sa folie des grandeurs qui l'avait fait si souvent rêver, sans la faire grandir pour autant. Et puis, elle est bien placée, avec ses métrages de lamé et de soie qui remplissent sa chambre, pour savoir que ce n'est pas parce que l'on n'arrive pas à mettre à exécution un rêve que le rêve ne vaut rien ou que le rêveur ne vaut pas grand-chose non plus.

Elle est bien obligée de constater que la terre de la cour est charbonneuse et plus triste encore sans toute la ferraille. Le jardin n'existe plus, mais quelque chose surgit à la place du jardin. Quelque chose qu'elle n'avait pas imaginé trouver là, dont elle ignorait l'existence et qu'Olivier avait sûrement rapporté ici : une mobylette. Une grosse bleue de marque Peugeot des années 1960, apparemment en bon état. Reine ne sait pas depuis combien de temps cet engin est là.

C'est un miracle encore plus grand que si elle avait retrouvé le jardin. Elle ne peut pas croire qu'un tel miracle soit possible sans l'intervention d'une force qui la dépasse. Une force nécessairement venue du ciel. Ça l'oblige tout d'un coup à faire une trouée dans le temps jusqu'au Dieu de ses ancêtres. Elle y réfléchira plus tard. Elle ne peut pas se laisser envahir. Pas maintenant. Elle comprend que lorsque le miracle a lieu, il faut se prosterner devant le mystère et la boucler.

Si seulement l'engin démarre, tous ses problèmes ou presque pourront se régler. Ça, elle l'a tout de suite compris. Elle se serait bien mise à prier, mais elle ne sait pas comment s'y prendre. Le curé, bien trop occupé à vouloir la convertir, ne lui a pas appris à prier pour ne pas la contraindre. Il lui avait dit : *La prière, ça vient tout seul*. Alors, Reine prie comme elle peut, les doigts croisés, toute repliée sur elle-même, concentrée, c'est pratiquement le même geste que lorsqu'elle se plie de douleur, tout en projetant des images magiques sur l'engin. À force, la mobylette finit par prendre place dans son imagination au centre d'un retable « carambole » identique à celui de l'église. C'est le même retable mais avec une mobylette bleue et dorée à la place du Christ.

Les enfants découvrent la mobylette debout sur sa béquille, derrière leur mère assise dans le froid, bras nus, en débardeur et treillis, les mains sales et jointes. La cour entièrement vidée, le chien couché à ses pieds, Reine est absente. Son corps est là mais son esprit semble être resté accroché au moteur de la mobylette. Il ne reste plus sur la terre écrasée et noire de la cour parfaitement ratissée que les trois gros arums de faïence blanche des cuvettes de W.-C. Personne ne pose la question de savoir d'où vient cette mobylette. De toute évidence, l'entité à trois têtes a parfaitement compris qu'elle a été exhumée des décombres de la cour. Pour l'instant, chacun mesure l'impact que cet engin peut avoir sur leur vie. La seule question qui supporterait d'être posée serait de savoir si elle est en état de marche. Igor secoue la mobylette. Il y a encore de l'essence. Il se propose de la démarrer, mais Reine s'y oppose. Non, c'est à elle de le faire. Mais elle les attendait. Reine, qui n'est jamais montée sur ce genre d'engin, doit s'y prendre à plusieurs reprises avant de trouver la bonne coordination entre la pédale et la poignée qui sert à libérer les gaz. Enfin, on entend le vrombissement enroué de la mobylette qui, après deux ou trois étouffements, finit par revenir définitivement à la vie. Le miracle a lieu.

Mobylette. Travail. Propreté et gentillesse. Tout devient cohérent. Tout est en place pour répondre une nouvelle fois à l'annonce de M. Chavarot qui n'a peut-être pas encore trouvé la personne qui lui manquait aux pompes funèbres. Propreté et gentillesse, il avait tellement insisté sur ces deux points ! Il le lui avait dit : *C'est essentiel mais que voulez-vous plus personne ne veut s'occuper des morts surtout qu'ici nous ne pratiquons aucune crémation, grand Dieu non, nous enterrons dans la grande tradition en vue de la résurrection de la chair*. Elle avait acquiescé à l'idée de la résurrection comme s'il s'agissait d'une chose entendue mais sans trop comprendre ce que cela signifiait. Qu'importe, ce qui se passe dans le ciel, ça ne la regarde pas.

Ce travail n'est pas seulement un emploi et un salaire. C'est important, elle le sait bien, elle n'est pas folle. C'est ce qui va l'aider à repousser les assistants sociaux, le juge du divorce et même Olivier. Au-delà de ça, elle a la conviction que travailler, et particulièrement avec les morts, pourrait lui donner une stature particulière, en parfait écho à ses singularités, à sa connaissance des morts et des ancêtres par exemple ou à sa couture, à toutes ces choses dont elle est faite et qu'elle ne pourrait jamais exploiter dans un métier ordinaire.

Seulement, pour obtenir ce travail, il faut qu'elle fasse bonne impression. D'autant que M. Chavarot ne l'a jamais vue et de cette première rencontre dépend le reste de sa vie. C'est extraordinaire d'imaginer l'onde de choc que pourrait produire un tel événement sur toute sa vie à venir. À condition que cet événement ait lieu. Et s'il n'a pas lieu, c'est l'enlisement définitif. Ça, elle le sait.

Tout commence obligatoirement par une image. L'image qu'elle va donner d'elle. Il est donc temps de prendre soin de sa tenue. Se laver en entier, faire une toilette minutieuse, laver ses cheveux, se couper les ongles assez ras et les peindre, se parfumer d'eau de Cologne, sentir bon, s'habiller, se chausser, effacer tout ce qui est encore effaçable comme la tristesse sur son visage. Ne plus croire au malheur. Faire bonne impression. C'est ça. Marquer en bien celui qui a le pouvoir de lui donner du travail.

S'arranger pour être belle. Belle pour le travail. Et belle pour les morts. Ça ne doit pas être la même chose. Elle sent bien qu'elle doit trouver la bonne mesure entre ces deux états. Pas trop décolletée mais pas trop engoncée. Pas trop sobre et pas trop extravagante. Pas trop grise et pas trop colorée. Pas trop invisible et pas trop visible. Tout est une question d'équilibre. Un faux pas et c'est la chute mortelle. C'est un peu comme si elle devait réapprendre à marcher sur de hauts talons aiguilles. La première fois qu'elle en avait porté elle avait quatorze ans. Elle s'en souvient encore, elle en avait éprouvé à la fois une sorte de vertige et de magnificence. C'était Edmonde qui les lui avait offerts pour célébrer ses premières règles, arrivées un peu tard. Le vertige d'abord, la magnificence très vite après quelques pas comme si elle avait marché toute sa vie sur des échasses. Il y a aussi une impression de hauteur dans l'équilibre, de soulèvement de soi, un déhanchement obligatoire. Une allure. C'est exactement ce qu'elle doit atteindre aujourd'hui. C'est aussi tout ce qu'elle a abandonné depuis des années.

Les enfants lui servent de miroir. Elle jette sur le lit toutes les robes et les jupes qu'elle s'est cousues elle-même et qu'elle entasse dans une penderie depuis l'âge de dix-huit ans. Déjà supprimer toutes celles dans lesquelles elle ne rentre plus. Elle y passera la nuit s'il le faut. Mettre de côté le surplus de fanfreluches, de dentelles ou d'imprimés. Chercher une certaine élégance. C'est ça, une élégance. Pour ne pas être rejetée à cause de ses excès vestimentaires. Elle n'a jamais oublié comment, à l'usine, elle avait payé cher le soin qu'elle portait à ses tenues, même quand elle faisait les trois huit. Non, jamais elle ne retravaillera dans une usine ! Mieux vaut crever. Elle essaye une robe, un caraco, un gilet, une veste. Elle retire une couche, ajoute un élément, en retire un autre, additionne les couleurs, les superpose. Travailler avec les morts, ce n'est pas aller à un enterrement non plus ! rappelle-t-elle au miroir à trois têtes. Les enfants rient, commentent : un grognement, un non, un oui, une exclamation unanime, quelquefois des applaudissements. Ils la dirigent, la guident. Elle est heureuse de leur connivence. Elle consent à tous les conseils. Par contre, il y a une chose sur laquelle elle ne transige pas : la broche sur son corsage vert jade qui représente un petit caniche en verroterie imitation diamants qu'Olivier avait gagné aux tirettes de la fête foraine le jour où il l'avait demandée en mariage. Et la voilà qui se met à raconter ce jour qui a fait basculer sa vie pour devenir mère. C'est comme ça qu'elle le dit : *C'est ce jour-là que je suis devenue mère*. Sans mesurer qu'elle vient en une phrase d'enjamber l'idée qu'avant de devenir une mère, elle aurait pu devenir une femme, comme si elle était passée directement de l'enfance à la maternité. Elle rejoue la scène. C'est une mythologie. Igor tient le rôle d'Olivier. L'enfant accepte naturellement de tenir la place du père. Sacha fait la tirette en tenant la broche fermée dans sa main qu'il ouvrira dès qu'elle fera semblant de mettre une pièce dans sa poche. Reine joue son rôle. Sonia est la spectatrice ébahie. La scène est comme un oracle pour la petite fille. Elle ne peut espérer quelque chose de plus beau pour elle-même. Reine rit. Rit beaucoup.

Trop. En quelques secondes c'est tout son être qui chavire. C'est comme si elle s'éclipsait de la scène tout en restant sur place. Igor connaît bien cet état dans lequel elle se met malgré elle et qui n'a rien à voir avec la peur ou avec l'angoisse. C'est un autre phénomène qu'elle ne maîtrise pas où son esprit abandonne son corps et disparaît ailleurs, quelquefois pendant plusieurs heures. Il n'y a pas de terreur plus grande pour lui. C'est le seul moment où il sent en lui toute la puissance d'un homme enfermée dans un corps trop petit pour agir. Il voudrait pouvoir l'attraper, la secouer, la gifler pour la faire revenir à elle. Il est le seul à voir et même à prévoir la crise. Jamais il n'a autant envié son frère et sa sœur qui, eux, ne voient rien et continuent à rire. Dans cette parenthèse, Reine qui vient de croiser le regard d'Igor s'y accroche pour résister. Maintenant, Igor lui sourit parce qu'elle doit absolument se maintenir dans la joie. Les tissus, la présence affolante des couleurs un peu partout dans la chambre la ramènent à la réalité, excitent sa bonne humeur et annulent, dans le même temps, toute forme de pensée. Il n'y a plus en elle qu'un grand vide sans plus aucune profondeur. L'excitation et la joie revenues ne font que recouvrir ses abîmes. Les recouvrir seulement. Elle sait bien qu'en dessous les sables mouvants de ses pensées les plus obscures peuvent l'engloutir tout entière et tout d'un coup. Elle s'accroche au souvenir de cette broche enfantine qui représente à la fois la passion d'Olivier pour les chiens et la sienne pour les bijoux, surtout les bijoux de pacotille. Ce n'est pas grand-chose. Elle le sait. Mais ça l'aide à fixer son attention.

La tenue est choisie. La robe portefeuille est blanche, la veste jaune, le corsage et le foulard sur lequel elle accroche sa broche sont vert jade. La coiffure est simple, les cheveux tirés en queue-de-cheval. Pas d'autres bijoux que la broche, et une paire d'escarpins verts assortis au corsage et au foulard. Il ne lui reste plus qu'à monter sur la mobylette, la démarrer et prendre la route.

Plein pot sur sa mobylette, Reine voudrait rouler plus vite maintenant que son équilibre est parfait. L'air froid lui pince le visage. Les paupières froncées pour éviter de pleurer déforment le paysage ; plus elle avance, plus il s'évanouit et se projette mollement par-dessus ses épaules. Sûrement qu'il retrouve sa forme après. Elle voudrait se retourner pour voir, mais elle sait bien que la moindre inattention risquerait de lui faire perdre l'axe de la route et dévier de sa trajectoire ; la peur de déraper ou de s'encastrer dans une voiture d'en face l'empêche de faire cette vérification malgré la tentation. Des camions la dépassent et la klaxonnent. Certains routiers prolongent leur klaxon le temps de la doubler pour lui dire : *Fais attention à toi, petite sur ta mobylette*. Ça la fait sourire. Il y en a sans arrêt sur cette route, des camions espagnols ou des camions allemands ou de pays qu'elle ne connaît pas avec des écritures pleines de *J* et de *K*. Tout cet air que ces monstres déplacent quand ils la doublent l'oblige à se cramponner au guidon de sa mobylette, à ralentir légèrement mais sans freiner, pour éviter de déraper sur la chaussée glissante et d'être projetée sous la roue d'un de ces mastodontes.

Cette route, elle l'a faite des centaines de fois avec sa voiture du temps où sa vieille R5 roulait encore. Mais jamais le spectacle n'a été aussi absorbant. Peut-être aussi parce que en voiture on ne sent pas l'air froid vous entailler la peau. La vitesse de sa mobylette est idéale pour profiter du paysage et de ses métamorphoses, bien plus que le vélo qui oblige à se concentrer sur l'effort. Reine, sur sa grosse bleue, découvre le pouvoir de la contemplation d'autant qu'à cause des voitures qui la doublent elle a l'impression de faire du sur-place, quelquefois même de reculer. Si le trajet jusqu'à son travail lui prend quatre fois plus de temps qu'en voiture, l'étrangeté du voyage la ravit suffisamment pour pouvoir le supporter. Elle n'a aucun regret, surtout quand elle finit par se dire : *Que c'est beau, mon Dieu que c'est beau !* Et ça, toute cette beauté, elle le doit à la lenteur de sa mobylette. C'est un chemin. Inutile d'avoir peur. Le pire est déjà arrivé. Deux mots l'accompagnent : propreté et gentillesse.

J'ai un travail, j'ai un travail ! Maintenant, plus rien ne peut se dresser entre elle et ses enfants. Igor, Sacha et Sonia ont dansé avec elle autour de la mobylette qu'elle n'a pas voulu laisser dehors sous la pluie. Elle lui a trouvé une place tout près de la machine à coudre. Désormais la mobylette fera partie du décor.

J'ai un travail, j'ai un travail ! Elle n'a que ça dans la tête et le ressasse devant le miroir de sa pharmacie au-dessus du lavabo.

Je ne pouvais pas espérer une meilleure employée que vous.

M. Chavarot l'a dit, il l'a même répété plusieurs fois en lui tenant les mains avec son sourire sous sa grosse moustache de vieillard. Elle aurait pu danser à nouveau si elle n'avait pas craint de réveiller les enfants. J'ai un travail, j'ai un travail. Son cœur pourrait exploser. Thanatopractrice ! Je suis thanatopractrice !

Elle a appris le mot par cœur malgré la difficulté évidente à le prononcer. Il n'y a pas de mot plus beau ce jour-là que celui qu'elle vient d'apprendre et qu'elle aurait pu inventer.

Elle ne se trouve pas plus belle en se répétant : j'ai un travail, j'ai un travail, ni plus mince, ni plus intelligente. Ça fait simplement longtemps qu'elle n'a pas eu la sensation d'être aussi joyeuse, aussi vivante. J'ai un travail, j'ai un travail. C'est sûr. Demain matin, elle ira au cimetière le dire à ses endormies sous la terre et en profiter pour désherber la tombe.

Reine a dépensé toute l'avance que son nouveau patron lui a faite en jardinerie, cadeaux, objets de décoration achetés dans un Destock, des guirlandes, des bougies, des stickers, et a rempli le frigo de toutes les cochonneries de la publicité, des pizzas, du coca, des glaces Magnum. La petite Sonia est au comble du ravissement avec sa poupée Barbie présentée dans sa garde-robe d'hiver ; Sacha, tellement excité par le nouveau jeu vidéo sur fond de guerre interplanétaire qu'elle lui a trouvé, en a oublié de la remercier. Seul Igor a eu du mal à se réjouir de ce grand livre sur Carthage qui le passionnerait pourtant. Pire que la crise, il redoute tout autant ces moments où sa mère réussit à faire vibrer la vie autour d'elle, où elle s'excite pour rien, quelquefois sans raison. Il mesure l'extrême dangerosité de cet état qui risque à la moindre contrariété de la fissurer tout entière. Le phénomène a empiré depuis que son père a quitté la maison, comme si sa présence avait, toutes ces dernières années, servi de digue aux débordements de sa mère. Igor en a voulu à son père d'être parti, mais depuis qu'il échange avec lui par Internet quand sa mère est absorbée dans ses travaux de couture et ses tissanderies, il a fini par accepter. C'est à lui-même surtout qu'il en veut, parce qu'il n'est pas capable de servir de digue aux débordements de sa mère ; sûrement parce qu'il est trop petit et que son corps d'enfant ne réussit pas encore à se mettre en travers de la folie. Il doit falloir un corps de colosse. Sa plus grande crainte vient de ce travail, pas des morts, mais qu'une fois rassurée par un salaire régulier, elle ne mesure plus les limites. Il lui a dit ces choses avec ses mots à lui : *On n'a pas besoin de tout ça.*

Pour le rassurer, Reine a juré que le mois prochain tout rentrerait dans l'ordre. Elle voulait juste célébrer le miracle de la mobylette.

À partir de ce jour, Reine avant de s'endormir dans le canapé se répétera dans la glace de sa salle d'eau : J'ai un travail ! J'ai un travail ! mais pour ce soir c'est à Igor qui lui sert de miroir qu'elle le dit : J'ai un travail, j'ai un travail !

Igor, même s'il est celui du milieu dans la fratrie, reste le premier. Il est le premier en tout. De temps en temps, elle l'observe tout en faisant semblant de coudre. C'est vrai qu'il lit beaucoup. Ça l'impressionne aussi quand elle le voit s'installer à la table, s'asseoir et ouvrir le livre à plat devant lui de la même façon qu'Edmonde le faisait. Puis il croise les bras comme elle, et lit sans jamais suivre les lignes avec son doigt, ni bouger les lèvres. Et rien ne peut faire plus plaisir à Reine que de voir cet enfant pratiquer le même rituel de lecture, sans qu'elle lui en ait jamais parlé. Ses livres préférés racontent l'histoire des grandes cités perdues. Il n'aime rien plus que toute cette archéologie des civilisations englouties, des Mayas au Pérou, des Aztèques au Mexique, des Nabatéens de Jordanie ou encore du Royaume d'Aksoum en Éthiopie. Son univers s'étend au-delà du monde connu et sans cesse, au gré de ses connaissances, il réinvente les mondes oubliés et les replace dans une géographie imaginaire dont lui seul connaît les emplacements exacts. C'est pour ça qu'elle n'a jamais éprouvé le besoin de lui parler du monde disparu de leur famille, des endormies du cimetière. Elle croit que ces histoires ne sont, comparées aux mondes magnifiques qui l'envoûtent, ni aussi grandes, ni aussi belles et qu'elles ne l'aideraient pas à conquérir le monde. Plus que les civilisations perdues, elle sait que ce sont les conquêtes qui impressionnent Igor, en particulier celle d'Hannibal par les Alpes à dos d'éléphant. Elle se souviendra toujours de ce jour où il lui a raconté qu'Hannibal était parti en campagne avec son père à l'âge de neuf ans seulement ! Il a dit que sans les pères, les garçons ont du mal à grandir et ne peuvent pas devenir des hommes. Elle n'a pas entendu. Elle ne l'entend que maintenant. Elle en était restée au fait extraordinaire qu'un enfant puisse combattre si jeune. Puis Igor avait ajouté : *Il faut sûrement commencer jeune pour avoir l'audace* (il avait employé le mot « audace ») *de faire passer des éléphants par les Alpes et surprendre Rome qui était toute-puissante à l'époque. C'étaient les Romains qui faisaient la loi !* Reine était restée accrochée au mot « audace » et à l'image des éléphants dans la neige. Elle lui avait immédiatement inspiré une tissanderie qu'Igor avait trouvée magnifique même si elle avait été incapable d'entendre qu'il y avait peut-être dans cette confidence historique la peur cachée de ne pas pouvoir devenir un homme.

Reine pense que cet enfant a un don. Il la bouleverse encore davantage quand il ajoute que sa mobylette est comme un des éléphants d'Hannibal et qu'elle aussi, d'une certaine manière, a réussi à traverser les Alpes pour trouver du travail et gagner sa place en clouant le bec à tout le monde. C'est seulement là qu'elle entend l'émerveillement d'Igor. Il est fier d'elle. Fou de joie. Quelquefois il se met à danser une danse de sioux, gesticulant et grimaçant, un temps très court où il redevient un enfant pour lui dire qu'il est aussi timbré qu'elle. Mais là, aucun excès. Igor se garde bien de montrer à quel point il attend que ce miracle transforme leur vie de tous les jours. Pas pour le confort. Pas pour l'argent. Pour en finir avec l'inquiétude.

Sur sa mob', Reine fait désormais partie intégrante du paysage. Au même titre que la Vierge de Monton, les rochers, les arbres, les méandres de l'Allier. Elle a l'impression que quelque chose d'elle s'y dépose chaque jour sans qu'elle sache vraiment quoi. Elle a même appris à aimer la pluie, une fois bien encapuchonnée sous son imperméable en plastique transparent qui recouvre aussi une grande partie de la mobylette. Malgré les difficultés qu'elle a rencontrées pour rendre les coutures étanches, elle se l'est confectionné dans un rideau de douche épais et transparent, imprimé de grosses pivoines rouges.

Tous les jours le paysage change mais sans se disloquer. M. Chavarot lui a dit très clairement : *Ma petite, impossible de faire ce travail correctement si l'on ne croit pas en Dieu*. Ce que M. Chavarot ne sait pas, c'est que Reine croit en

Dieu depuis toujours, mais dans le plus grand secret, ce qui lui a permis d'entrer de plain-pied dans le monde des morts, même si Edmonde l'a tenue toute son enfance le plus à l'écart possible des choses célestes. Même après la chute du Mur de Berlin, elle a davantage parlé des ancêtres que de Dieu. M. Chavarot a juste permis à Reine de mettre des noms sur des images qui l'habitent depuis qu'elle a inventé la châsse en carton de sa Vierge-Annette. Elle croit depuis toujours que les morts ne sont pas tout à fait morts, qu'ils peuvent réapparaître ou se métamorphoser. Tout chez M. Chavarot fait écho en elle, l'incite à bien faire sans pour autant exciter sa folie. C'est ça qui est extraordinaire et en même temps rassurant, de la même façon que la couture lui permet, grâce au mouvement régulier de la pédale de sa machine, de recoudre les bords de ses pensées avant qu'elles ne s'effilochent tout entières.

Hier, elle a appris des choses sur le mot « thanatopracteur » et s'empresse le soir même d'expliquer la leçon à ses enfants, non pas pour les impressionner mais pour éviter toutes les questions embarrassantes.

— C'est l'association de deux mots, *thanatos* qui veut dire « la mort » en grec, et ce *thanatos* a un frère jumeau, *hypnos*, qui veut dire « le sommeil » comme dans le mot « hypnose ». Et tous les deux, *Thanatos* et *Hypnos* sont les enfants de la nuit. Très important de savoir ça. Et *practice* vient aussi du grec *praxi* qui doit vouloir dire quelque chose comme « opérer ». Tout comme les médecins opèrent. Autant dire que je suis celle qui opère tous les soins possibles et nécessaires à la présentation du mort avant de le remettre à Dieu. Vous voyez, on est loin de la simple toilette. Et nous sommes très peu dans ce monde à pouvoir le faire.

Les enfants, médusés, ne posent aucune question. Sacha se contente de dire : « Tu touches les morts », avec une certaine admiration. Sonia ajoute : « Non elle ne les touche pas, elle les habille pour les faire beaux. » Igor est des trois le plus impressionné à l'idée que sa mère serve de passeur entre des vivants qui ne le sont plus et Dieu que personne ne voit. Il aime les points de force de sa mère, son courage, sa vivacité, son acharnement à vouloir transformer la réalité avec ses tissanderies, sa propension aussi à l'émerveillement tout en sachant que son comportement volontariste, cette violence qu'elle se fait subir à elle-même pour être à la hauteur, n'ont pour socle que son extrême fragilité.

Chaque soir désormais, Reine pourra s'endormir en se répétant les noms de ces deux frères nocturnes *Thanatos* et *Hypnos* venus la chahuter une nuit plus obscure que les autres. Elle saura les dompter maintenant qu'elle connaît les noms de tous les protagonistes du drame qui lui serviront à inventer une nouvelle récitation, la récitation de la nuit.

Le second miracle

Jorgen l'attend sur le parking. Il est là, planté devant elle. Elle ne sait pas encore qu'il s'appelle Jorgen. Une première impression. Beau et sauvage. Sans cette panne de mobylette qui l'oblige à se rabattre sur le parking, elle ne l'aurait jamais rencontré. C'est ce qu'elle se dit déjà avant même de lui avoir parlé. La mobylette devient alors un être à part entière, presque un de ces dieux baroques qui font et défont les destins, qui décident et qui ordonnent. Sans la mobylette, pas de travail. Sans le travail avec les morts, pas d'argent. Sans argent, impossible de rendre la vie de ses enfants plus acceptable. Tout ça, elle le doit déjà à la mobylette. Et maintenant, par un caprice que seule la mécanique engendre, elle se trouve face à cet homme qui fait déjà le ciel se renverser sur elle. Il n'est pas d'ici. Il doit venir du Nord. Ça se voit à la blondeur de ses cheveux. Elle sait juste une chose : il est le chauffeur du camion qui, plusieurs fois déjà, l'a klaxonnée en la doublant. Elle l'a reconnu immédiatement à cause du chrome argent des pare-chocs et du nom sur le camion plein de *J* et de *K*.

Il l'attend. Elle serait bien incapable de dire pourquoi mais elle sait qu'il l'attend. Ça se voit à la position de son corps, ses mains sur ses hanches, les jambes plantées, le regard sûr. Comme il n'y a personne sur le parking il pourrait aussi être un assassin qui attendrait sa victime. Elle n'a pas peur. Elle ne craint rien de cet homme. Jamais elle n'a vu un homme sourire de cette façon. Il illumine tout le parking malgré la pluie qui dégouline sur elle. Si Reine tremble, c'est uniquement parce qu'elle sait que si la mobylette est morte, le chemin est fini pour elle. L'avantage de la pluie, c'est qu'on peut pleurer sans être vue. Comme elle n'y connaît rien en mécanique elle arrive avec la mobylette devant cet homme qui la désire. Si lui ne peut rien, pense-t-elle, personne ne pourra jamais rien pour moi. Il sourit sous la pluie. Personne ne sourit sous la pluie. C'est comme si elle voyait un homme pour la première fois.

Il s'accroupit pour chercher le problème de la mobylette. Il est à ses pieds. Elle le domine. Elle ne voit que ses épaules larges et ses cuisses qui pourraient faire craquer les coutures de son blue-jean. Ça la fait sourire. Le jean est démodé mais il lui va bien. Il dessine les muscles de ses jambes. Pas d'inquiétude pour la mobylette, juste la bougie encrassée qui ne supporte pas l'humidité. Il faudra la changer. Maintenant, il suffit d'attendre qu'elle sèche, lui explique-t-il dans un français plein de trous. Il ne peut même pas imaginer à quel point il vient de la soulager, ni la profondeur de ce soulagement. C'est là qu'il lui dit qu'il s'appelle Jorgen. Moi, je suis hollandais. Il lui raconte qu'il passe deux fois par mois sur cette route, toujours à la même heure ; ses trajets sont réglés comme du papier à musique. Il dit : *du papier de la musique*. Si elle comprend bien ce qu'il dit, d'après lui le destin vient de toute évidence de lui offrir le moyen d'aborder Reine. Il l'a souvent croisée ces derniers mois. Elle s'en souvient. Il l'a klaxonnée à chaque fois. Elle s'en souvient aussi. Mais jamais Reine n'avait compris qu'il la saluait. Elle s'en excuse. Elle a encore moins compris qu'il l'invitait à le rejoindre sur le parking en mettant son clignotant longtemps avant l'aire de repos. Non ça, elle ne l'a pas compris non plus. Mais elle ne s'en excuse pas. Reine a simplement continué sa route sans imaginer que ce clignotant lui était destiné, qu'un homme lui proposait une sorte de parenthèse, peut-être même de prendre une autre direction dans sa vie.

Une femme à mobylette, surtout une femme habillée de couleurs vives, même sous son imper transparent taché de grosses pivoines rouges, est pour Jorgen une image éblouissante. Il dit le mot « éblouissant » dans une phrase bancale. Peut-être veut-il dire « bizarre » ou « étrange ». Il parle français avec un accent qui fait rouler les *r* et laisse ses fins de phrases se terminer en l'air comme si chacune d'elles était une question. *Toi te connaître ? J'en ai envie. Tu es belle.* À la façon de dire le mot « belle » on dirait qu'il y met une majuscule. Il ne faut pas plus de mots et ce regard de piqueur pour l'attraper au cœur. À ce moment précis elle sait que tant qu'elle sera dans le regard de cet homme qui sait réparer les choses, elle ne pourra plus se perdre. Elle s'étourdit de ses yeux bridés, de son cou large et de son sourire d'aurore boréale qui arrive à éclairer la grisaille du parking.

C'est le début d'une longue conversation entre eux dans une langue qu'ils ont l'impression d'inventer. Rien n'aurait pu la ravir davantage. L'impression que toutes les langues sont contenues en une seule. Lui s'extasie toujours sur l'image qu'elle a créée : elle tout en couleur sur la mobylette dans ce paysage gris. Il cherche à être précis dans un français abrupt et rugueux. Il est intarissable. Reine comprend qu'il ne veut pas que la conversation finisse. Qu'il est prêt à tous les efforts. Alors, comme il parle beaucoup par images, elle raconte le film qu'elle a vu et qui l'a occupée tous ces derniers temps, celui où les pauvres s'envolent au ciel. Il a l'air de la comprendre. Il connaît le film. Il dit que c'est un chef-d'œuvre. *Miracle à Milan* de Vittorio De Sica. C'est aussi son film préféré. Elle n'a aucune raison de s'étonner qu'un routier du nord connaisse si bien ce film. Ils n'hésitent pas à confronter leurs points de vue, à mimer quasiment les personnages, les promoteurs et les pauvres, la Colombe, la mère morte qui obstrue entièrement le ciel, les anges noirs comme des ombres et la fin, la fin surtout, avec les pauvres qui s'envolent dans le ciel pour échapper à leur destin misérable sur terre. Ce film est comme un souvenir qu'ils auraient en commun.

Il est chauffeur-routier et elle, que fait-elle ? Je travaille avec les morts. Il n'en demande pas plus. La réponse semble le combler. Elle veut lui parler des ancêtres mais elle n'en a plus le temps. La prochaine fois, c'est sûr. Son désir de lui parler de tout et sans retenue la rend transparente sans la rendre vulnérable. Jorgen promet aussi de lui faire goûter du vrai chocolat hollandais. Il s'emporte tellement qu'il peut dire un mot à la place d'un autre. *Je te ferai dégoûter du vrai chocolat*. Dégoûter comme une contraction entre « goûter » et « déguster ». Elle comprend ce qu'il veut dire et ne juge pas nécessaire de le corriger. Elle entend surtout qu'il a envie de la revoir, ou qu'il est convaincu qu'ils vont se revoir. C'est un peu comme avec les chansons de Shirley Bassey qu'elle ne comprend pas mais dont elle capte toutes les intentions et surtout toutes les émotions. Là aussi elle a envie de pleurer. Ce qu'elle ressent immédiatement pour Jorgen c'est l'amour. Il n'y a pas d'autre mot. Un amour irraisonné. Donc puissant. Véritable. Reine ne doute pas non plus que Jorgen l'aime de la même façon. C'est un coup de foudre sous la pluie, doublé d'une sorte de stupeur qui paralyse leurs gestes, efface le monde et crée autour d'eux un silence d'aventure.

Le ciel s'ouvre d'un coup. Il va faire chaud aujourd'hui. Le bleu apparaît au-dessus de leurs têtes et le bitume suinte encore de pluie. Elle a toujours aimé ce moment si particulier après la pluie, quand tout est mouillé et que l'air encore humide amplifie le moindre bruit et le fait résonner. Là c'est le désir qui s'amplifie. Si elle n'était pas en retard pour son travail, elle monterait dans la cabine du camion et se donnerait à lui sans retenue. Elle sourit à l'idée qu'il conduise un de ces monstres qui la déséquilibrent sur sa mobylette quand ils la dépassent. Là aussi elle est toute déséquilibrée.

— Pas de temps. Route longue Toi et moi. Next week après next week... Semaine après l'autre semaine. C'est ça ?

— Oui, quinze jours, ajoute-t-elle en comptant sur ses doigts.

— Où ? Ici… même jour ? Papier de la musique.

Il parle comme elle fait des récitations et Reine n'a aucune difficulté à combler les trous de sa phrase. La parole se suffit de quelques mots s'ils sont sonores et clairs. Ils le sont. Il fait ce trajet deux fois par mois avec son camion rempli de victuailles et de tulipes qu'il livre d'abord dans la région avant de filer jusqu'en Espagne. Jamais Reine n'avait imaginé que la grande Vierge de Monton se trouvait aussi sur le trajet entre la Hollande et l'Espagne. Cela ajoute un peu plus de grandeur au paysage qu'elle traverse chaque jour. Désormais elle pensera que cette route qu'elle fait seule sur sa mobylette est aussi la route de Jorgen.

Avant qu'ils se séparent, il dit qu'il est marié et qu'il a trois enfants. Marié. Femme. Enfants. Trois. Reine sourit : moi aussi, trois enfants. Ils viennent de dire tout ce qu'il y a à dire sur leurs vies. Ils savent que quand ils se reverront ils n'en reparleront jamais. Pour la première fois Reine ne doute ni de sa séduction, ni de son corps et de ses rondeurs, ni de sa condition. Elle n'est plus une mendiante puisqu'elle est devenue une femme dans le regard du camionneur néerlandais. Pas n'importe quelle femme ! *Femme à la mobylette*, dit-il comme s'il intitulait un tableau.

Plus qu'une semaine à attendre. Elle commence à se dire qu'elle a peut-être un destin. Ce qui pour elle n'est pas plus qu'une vie, mais redonne à la vie sa part de grandeur et de merveilleux.

Je couds en attendant… Elle était encore une petite fille quand elle disait ça. Et c'est seulement sur ce parking, presque trente ans plus tard, qu'elle reconnaît celui qu'elle attendait depuis toujours.

Elle ne se souvient pas du chemin entre le parking de l'aire de repos et la maison Chavarot. À peine arrivée, Reine doit faire la toilette mortuaire d'une femme obèse qui, à cause de son poids et de la chaleur annoncée pour les jours qui viennent, doit impérativement être enterrée le lendemain. La femme est asiatique. Son mari, M. Sachet, un Français originaire d'Issoire, précise qu'elle est indochinoise, qu'il a rencontré Huan à Saigon en 1951 et qu'il l'a épousée là-bas avant de la ramener ici, et bien avant d'ouvrir leur restaurant, Le Dragon d'Or. C'était un mariage d'amour. C'est la première chose qu'il dit. Il insiste sur ce point. Un mariage d'amour. Puis il ajoute : « S'il n'y a pas d'amour, vous comprenez, Mademoiselle, la vie de tous les jours n'est pas une vie et nous ne sommes rien. » Elle comprend tout ce que cet homme dit. Peut-être qu'elle ne l'aurait pas compris quelques jours plus tôt. Bien sûr qu'il aurait préféré exposer la dépouille de sa femme dans leur restaurant, sous les lanternes chinoises rouge et jaune et devant le poster grandeur nature de la Baie d'Along d'où elle est originaire, plus précisément de la province de Quáng Ninh dans le golfe du Tonquin, tout près, insiste-t-il, de la Chine.

Il a apporté une robe pour l'habiller. La robe est en soie, cintrée, étroite, avec un col à la chinoise, fendue sur le côté et entièrement brodée sur le devant d'un dragon aux fils d'or et rouge en relief, un peu comme ses tissanderies. M. Sachet rappelle que le dragon chinois est un dragon qui vole. Pas comme chez nous où ils sont cantonnés dans les grottes des montagnes. Reine sent bien que M. Sachet ne se fait aucune illusion sur la suite de l'histoire, sur ce qui va se passer pour sa femme une fois morte. Pas de Christ. Pas de Jugement dernier. Mais un retour évident à l'Origine grâce à son âme qui chevauchera jusqu'au ciel sur le dos de la bête après avoir longtemps serpenté dans les airs. Il raconte l'Indochine et les envoûtements de l'Asie de façon si précise qu'il semble lui-même avoir oublié qu'il évoque la période de l'une des pires guerres coloniales. Puis il le dit : « C'était pas une jolie guerre non plus. » Il le reconnaît mais il ne peut s'empêcher d'en parler comme le ferait un explorateur qui n'en reviendrait toujours pas, des années plus tard, de toutes les merveilles qu'il a vues et découvertes dont Huan fut le joyau. Son récit se déploie comme un éventail, commence par le dragon brodé pour s'achever au même endroit, sur la robe d'Indochine. Tout cela est très bien, mais M. Chavarot, qui finit par intervenir, fait quand même remarquer que la robe est d'une taille 30 ou 32.

— Oui, c'était la robe que ma femme portait quand je l'ai vue la première fois au Parc. Vous n'avez pas connu ça, vous, monsieur Chavarot, c'était un bordel à Cholon. Cholon est un faubourg chinois de Saigon, précise-t-il. Allez savoir pourquoi ils ont donné à ce bordel le nom de l'hôtel où s'était réfugié le Maréchal à Vichy ! Un bordel autorisé par l'Armée française tout de même ! Et quand je dis « autorisé », je devrais dire « géré » par l'Armée pour s'assurer que les filles étaient en bonne santé. Sinon le Viêt-min avait tôt fait de se servir d'elles pour nous refiler des maladies vénériennes. La chaude-pisse était une arme de guerre en ce temps-là ! C'était ça, notre jeunesse, à ma chère épouse et à moi.

Reine comprend que le veuf ne veut que la vérité pour rendre encore plus audible la grandeur de son amour quand Huan se présentera au ciel et que ses dieux de l'Asie, à la frontière de la Chine, viendront lui demander de leur cuisiner ses nems maison (ça, il n'en doute pas), ces nems que tous leurs clients avaient toujours qualifiés de « divins ». Huan était une cuisinière de premier ordre. Hélas, il lui arrivait quelquefois de trop goûter sa propre cuisine. Le reproche se transforme immédiatement en excuse quand il reconnaît que chaque bouchée était pour elle un morceau de son pays dont elle ne se rassasiait pas.

C'est qu'il faut aller au-delà de la raison pour quitter Saigon et suivre un mari dans un pays qui n'est pas le sien. Il faut un dragon qui vole pour réussir ce périple. Un peu comme sa mobylette l'a conduite jusqu'à Jorgen qui commence à s'immiscer dans toutes ses pensées. Quinze jours lui paraissent déjà une trop longue période d'attente. Heureusement, M. Sachet est intarissable, il raconte maintenant comment la neurasthénie s'est introduite dans l'esprit de sa femme comme une bête qui aurait pondu en elle la tristesse et le goût d'en finir. Ça venait aussi de ce pays auvergnat qui ne lui évoquait rien, sauf quelques paysages près des lacs. Le restaurant fut le seul moyen qu'il trouva pour apaiser son épouse qui risquait la folie. M. Sachet sait mieux que personne que le mal du pays peut quelquefois être plus fort que l'amour et le tourmenter jusqu'à le tordre. Est-ce que Jorgen aurait le mal du pays si elle lui demandait de rester ici ? Mais elle ne lui demandera jamais ça, il a des enfants et une femme, ce que Huan n'avait pas. M. Sachet aussi avait connu ces soubresauts quand il s'était retrouvé parachuté dans la campagne près de Saigon, lui qui n'était jamais sorti du Puy de Dôme. Alors ce ne fut pas difficile de comprendre les désastres intérieurs que son épouse indochinoise avait vécus en étant déracinée. Mais il insiste :

— Dès le premier jour, je vous le jure, mademoiselle, j'ai été envoûté mais je ne savais pas de quelle sorte d'envoûtement il s'agissait. C'est complexe, ces histoires, c'est complexe. On vient pour faire la guerre et voilà que, très vite, on ne voudrait plus jamais quitter ce pays merveilleux et ces gens merveilleux et ces paysages ! Les paysages d'Indochine ! C'est à vous couper le souffle. Mais ne vous y trompez pas, si ça n'avait tenu qu'à moi on serait resté là-bas ! C'est Huan, figurez-vous, qui a voulu partir.

Discrètement, presque en confidence, il ajoute :

— Elle avait peur des communistes, si peur qu'elle a voulu quitter son pays. C'est dire !

Reine fait comme si elle n'avait rien entendu. Une chose est sûre, le restaurant était devenu le pays réinventé de l'Indochine perdue. Huan ne voulut plus jamais prendre le risque de sortir de ce périmètre de peur d'être à nouveau aspirée par le néant du monde extérieur. Elle ne mit donc jamais les pieds en dehors de son restaurant, pas même sur le trottoir. Elle ne mit pas davantage les pieds dans la langue française qu'elle parlait très mal. Jamais elle n'avait voulu faire le moindre progrès pour continuer à entendre dans son accent d'Asie le pays d'origine. M. Sachet pleure et rit en même temps. Personne ne comprenait Huan quand elle parlait, sauf lui.

— Heureusement, je ne vais pas tarder à la rejoindre... là-bas... Si toutefois le ciel de l'ancienne Indochine est le même ciel que chez nous.

C'est une vraie question à laquelle elle n'avait jamais pensé : le ciel de Jorgen est-il dissocié de son ciel à elle ? Reine aime ce moment où la douleur ajoutée à toute l'expérience d'une vie fait dire et faire des choses que l'ordinaire n'autoriserait pas. Elle a envie d'embrasser cet homme, non pour le consoler mais parce que sans lui, sans son impudeur, elle ne se serait jamais posé les questions sur le ciel ou sur l'amour ou sur la langue. Elle doit répondre à la proposition de cet homme bien plus fou d'amour que de chagrin, même si la robe est bien trop étroite pour un corps aussi énorme.

Reine comprend la tristesse qui traverse soudain le regard du veuf, incapable de mesurer la perte qu'il est en train de vivre, qui croit encore qu'il est possible d'abolir le temps. À cause de son expérience sur le parking, elle sait qu'il n'y a plus rien d'impossible. Et si, depuis quelques mois, elle s'est toujours comportée comme la petite main, si elle s'en est tenue à la stricte toilette des morts et a suivi à la lettre les instructions de son patron, cette fois-ci elle intervient et rassure l'ancien combattant d'Indochine. Demain, Huan sera prête. Elle lui en fait la promesse.

Quelque chose a changé en elle. Elle le sent. Mais elle ne sait pas si cela vient de sa rencontre avec Jorgen ce matin ou bien du récit de la destination des âmes façon indochinoise qui lui a ouvert un nouvel horizon sur le monde des vivants et le monde des morts. Elle sait qu'elle ne sera plus jamais la même. Elle aime toutes ces choses inattendues qui se passent loin de chez elle et la transforment.

Quand Reine apparaît, la télévision est allumée et crache son flot continu de paroles vides dans le zapping des chaînes auquel s'adonnent Sacha et Sonia. Les guerres, les élections, les Anges de Los Angeles, les terroristes, à nouveau des morceaux d'élections, de guerre, d'anges, et de terroristes. La bagarre pour la télécommande entre Sacha qui veut voir la guerre et Sonia qui veut voir *Les Anges de Los Angeles* provoque des hurlements. Igor est le seul à remarquer la métamorphose de sa mère, même s'il n'y a rien de vraiment visible. C'est justement dans sa manière de ne rien dire et de commencer par éteindre la télé malgré les suppliques des deux autres. Elle dit : plus un mot. Elle le répète en articulant la phrase : plus un mot. C'est la première fois qu'elle est capable d'imposer le silence sans crier. Sacha et Sonia sont baillonnés. Igor sort de son livre et suit le trajet de sa mère jusqu'à la table où elle s'assoit en repoussant plusieurs fois ses cheveux en arrière comme un animal à crinière. Elle a l'air plus heureuse que les autres jours. Ça se voit. Plus ferme aussi. Mais il connaît ce geste. Ça veut dire que rien ne doit venir interférer avec les images qui courent dans la tête de sa mère. C'est un signe. Mais il est incapable de faire la différence entre cet état flottant dans lequel l'amour a projeté sa mère et l'extrême fragilité dans laquelle la folie peut la plonger. Igor s'inquiète.

— Ça va ?

— Oui, très bien.

— T'es sûre ?

— Évidemment. Je couds.

Coudre n'est pas la réponse qu'il attend. Impossible non plus d'imaginer la rencontre que sa mère a faite ce matin sur le parking. À ce moment-là, il la croit encore capable de se trimballer dans les rues, moulée dans une robe avec un dragon doré sur le ventre. Elle le rassure :

— C'est pour une cliente (elle évite d'employer le mot « morte »). Ben oui, la pauvre vient d'Indochine et a pris pas mal de poids. Je me contente d'adapter la robe à son nouveau corps pour qu'elle se présente au ciel telle que son mari l'a connue.

— Pourquoi ?

— C'est évident, Igor. Son mari veut sûrement que Dieu l'aime comme lui l'a aimée le premier jour où il l'a vue. Tu ne trouves pas ça très beau ?

— Il veut que Dieu tombe amoureux de sa femme ?

— Non, pas vraiment ! Il veut que Dieu voie toute la beauté de sa femme et toute son innocence. Même si elle fait cent vingt kilos.

Elle croit être débarrassée de cet interrogatoire, mais Igor insiste :

— Tu crois en Dieu ?

Même si elle ne s'attendait pas à cette question qu'elle ne s'est jamais posée, elle sait quoi répondre :

— Écoute, si à la fin de sa vie mon Edmonde est retournée à l'église, c'est que Dieu existe, sinon, la connaissant, crois-moi, elle n'y aurait jamais remis les pieds. Maintenant, il faut que tu me laisses coudre.

Edmonde. Huan. L'Indochine. Le christianisme. Le communisme. Le paradis. Elle réussit à faire des liens entre ce qui, jusque-là, n'en avait pas. Tout devient clair, évident, pas seulement grâce au travail de couture qui l'aide depuis toujours à faire des liens ou des rapiéçages entre les choses disparates jusqu'à ce qu'elles finissent par constituer un tissu remarquable, mais grâce à Jorgen qui continue, des heures plus tard, à la soulever tout entière.

Igor, bien que très satisfait de cette explication, ne désarme pas pour autant. Il est bien trop préoccupé. Il veut savoir s'ils risquent avec son frère et sa sœur d'aller vivre chez leur père. Elle entend la phrase qui la gêne. L'intrusion de cette réalité à laquelle elle croyait avoir échappé depuis qu'elle a trouvé du travail est difficile à supporter. À tel point qu'elle n'entend pas que son fils essaie de lui dire que leur père est passé dans l'après-midi leur faire cette promesse avant de s'éclipser. Que c'est cette visite qui a mis Sacha et Sonia dans cet état d'excitation. Ce n'est pas la promesse que son père avait déjà faite qui a inquiété Igor, mais la présence dans la voiture de la femme Atlantique, blonde décolorée, qui leur a fait un signe de la main et un sourire. Les autres fois son père était venu seul. La présence de cette femme, ici, témoignait sûrement d'une avancée considérable dans la démarche de leur père.

— Enfin, mon Igor, ça ne risque pas, on ne connaît même pas son adresse. Biarritz, c'est grand, bien plus grand que chez nous.

Elle sait bien qu'elle fait une réponse qui n'a aucun sens, elle cherche juste à rassurer son fils. Mais la réponse rate sa cible, elle est pour l'enfant la preuve que sa mère n'est pas dans la même réalité que lui. Il n'insiste pas. Il ne veut pas la fragiliser. Elle est si absorbée par son travail sur la robe indochinoise qu'il retourne à son livre, abandonne sa mère à son ouvrage, aussi déçu qu'un médecin qui s'avouerait vaincu face à un patient bien aimé mais incurable.

ayant [illegible] commerciale dans la déchéance de leur père.

— Leur mon [illegible] ne [illegible] pas, on ne connaît même pas son adresse. Par elle, c'en est [illegible] plus grand [illegible] chez nous.

Elle sait bien qu'elle est une [illegible] qui n'a [illegible] elle [illegible] le jour [illegible] son [illegible]. Mais la [illegible] elle est pour l'enfant la preuve que sa mère n'est pas dans la même réalité que lui. Il n'existe pas. Il ne veut pas la tragique. Elle est si absorbée [illegible] sur le rôle [illegible] qu'il [illegible] à son [illegible] va opposer [illegible] un patient [illegible] remarquable.

Reine arrive de très bonne heure pour préparer Huan. De petite taille, la défunte ressemble à un carré de chair surmonté d'un visage sans ossature, les yeux bridés et une bouche en pétale de rose. La graisse lui a évité le vieillissement et a même empêché ce phénomène de creusement qui apparaît sur les corps ordinaires, narines pincées, joues et lèvres aspirées par l'intérieur sans vie du corps. Elle commence par procéder à un maquillage délicat, juste pour accentuer son teint de fleur de cerisier. En déroulant son chignon serré sur sa nuque, elle découvre une splendide chevelure de jais de plus d'un mètre. Pas un cheveu blanc. C'est impressionnant cette longue chevelure presque chaude, sur ce corps déjà froid. Elle décide de renoncer au chignon que portait la défunte et tresse une natte qui adoucira son expression.

Une fois le maquillage et la coiffure terminés, il ne lui reste plus qu'à déplier la façade en soie qu'elle a confectionnée avec les pans décousus de la robe. Elle la jette comme un drap sur la morte, le dragon brodé d'or bien centré. Puis elle borde les pans dans les creux formés par les bras le long du corps et fait passer la natte sur sa poitrine. Ensuite, elle commence à limer soigneusement les longs ongles de ses mains petites et potelées et les peint d'un rouge vif. Pour la touche finale, elle ajoute un bouton de rose entre les mains de Huan, un bouton cueilli dans son jardin maintenant que son rosier explose de fleurs, sur lequel le bout de la natte vient se poser.

L'Indochinoise est réapparue dans la chambre funéraire. Pour parfaire la présentation, Reine n'a pas seulement passé sa nuit à coudre. En s'inspirant de la photographie de la Baie d'Along que le fiancé d'Edmonde lui avait envoyée, elle a fabriqué en forme d'éventail une boîte en carton, sur le modèle de sa Vierge-Annette, à l'intérieur de laquelle elle a fait une tissanderie. Elle ne sait pas la beauté de ce qu'elle fait. Deux personnages dans un paysage indochinois époustouflant représentent la jeune femme en robe rouge fendue en train de tremper ses pieds dans l'eau, et un militaire français, un peu disproportionné au premier plan, qui la regarde tout en fumant une cigarette alors qu'un dragon semble s'échapper de la montagne pour se jeter dans la baie. Les personnages, le monstre, les rochers, l'eau, tout est fait en tissu pour donner du relief. Pour Reine, c'est comme si cette nuit-là elle avait réussi à faire la synthèse de son goût immodéré pour les images, le music-hall et la couture. Il ne lui reste plus qu'à poser ce petit théâtre en éventail comme un diadème autour du visage de la morte qui semble désormais endormie. Ainsi Huan, en se présentant à Dieu, pourra sans avoir à prononcer un mot, puisque les morts ne parlent pas, faire comprendre qu'elle vient de ce paysage et de cette terre où les dragons se jettent dans les eaux glacées pour se transformer dans la fusion en rochers.

C'est précisément cette image d'Indochine que M. Sachet voulait offrir à l'éternité. Les larmes montent dans les rigoles rougies de ses yeux de vieillard. Des larmes qui ne brillent plus. De vraies larmes d'adieu. Il dit : « C'est le dragon qui fait déborder le lac. » L'homme ne sait plus comment remercier Reine pour la façon dont elle a compris la beauté de sa femme et surtout pour la magnifique image qu'elle a installée au-dessus de sa tête et qui semble la copie exacte de sa rencontre avec Huan. Le chagrin et la justesse de la scène lui ont fait oublier le bordel. Il baise les mains toutes froides de son adorée avec la ferveur et l'amour qu'il mettrait à embrasser celles d'une divinité. Non seulement l'amour de ces deux-là, se dit Reine, est intact après toutes ces années, mais il dépasse même leurs états (elle morte, lui vivant) et semble effacer les surplus de graisse. Elle est émerveillée à son tour. Elle s'émerveille de ce qu'elle a créé aussi. Jusque-là, elle n'avait pas eu conscience du pouvoir de sa création, ni de la dimension qu'il prendrait dans ce cadre. Elle s'éblouit elle-même, convaincue qu'elle vient de trouver, grâce à sa rencontre avec Jorgen, non pas une vraie raison de vivre – elle a ses enfants pour ça –, mais le moyen, peut-être, de calmer son tremblement intérieur, celui qui, selon les circonstances, la jette dans la plus grande fébrilité.

M. Chavarot, face à l'émotion de son client, et surtout à la réussite de ce qui ressemble presque à un véritable embaumement, comprend que Reine, avec son petit théâtre de bouts de tissus, de strass et de perles de verre, a bien plus de ressources qu'il ne l'avait imaginé. Avec sa générosité et sa relation si évidente au monde des morts qu'elle fait entrer en collision avec celui des vivants, Reine pourrait faire des merveilles plus grandes encore. C'est une évidence. Et dire qu'il aura fallu à M. Chavarot attendre toute sa vie et plusieurs générations de croque-morts pour comprendre, grâce à Reine, que la dernière image ne serait donc pas celle du cadavre, mais celle de l'amour. Cela ne fait plus aucun doute, Reine est bien plus qu'une employée, elle est une artiste. Elle le serait dans n'importe quel domaine. Il suffirait de la laisser faire et de croire en elle.

Jorgen est déjà sur le parking. Le jour est à peine levé. Reine a pris soin de sa toilette. Elle arrive sur sa mobylette dans une robe verte où se mélangent le jade, l'anis et le vert des prés qu'elle a agrémentée d'une ceinture vieux rose confectionnée la veille en harmonie avec ses chaussures de mariage que la petite Sonia avait peintes un jour où elle s'ennuyait. En se hissant sur ses talons, Reine saute littéralement dans la cabine du camion et plaque sur le sourire de Jorgen son premier baiser. Il ne met pas longtemps à trouver comment la robe se dégrafe. Ses mains sont expertes. Une fois nue dans la cabine, Jorgen la met à distance au bout de ses bras puissants et la regarde. Aucune surprise, ni étonnement, ni déception. Nue, Reine est identique à ce qu'elle dégage quand elle est habillée. C'est rare de ne rien dissimuler ou de ne rien exagérer. C'est une splendeur, un réel éblouissement. Il commence à la caresser comme un aveugle. Elle a l'impression qu'il la sculpte ou plutôt qu'il la peint. Ses caresses redessinent entièrement les formes de son corps. Il la fait apparaître. Reine n'éprouve aucune gêne. La première fois, déjà, elle avait remarqué les mains de l'étranger du Nord. Des mains qui n'ont pas tenu un volant toute leur vie, des mains de maçon que les efforts, les poids, les matériaux, les outils auraient écrasées et musclées. Des mains qu'Edmonde aurait aimées. Des doigts larges, carrés, des paumes creusées de lignes profondes et des poignets solides accrochés à des bras d'acier. Qui est cet homme, vraiment ? Comment l'habillerait-elle s'il devait mourir ? Sûrement pas avec ce jean et ce tee-shirt. Il faut entrer dans le mystère de l'autre. Elle ne veut que lui, prise dans la forge de ses bras. Reine se sent partir dans la volupté comme si toutes les rondeurs qu'elle devait aux naissances de ses enfants et à l'ennui avaient modelé son corps de femme pour lui permettre de vivre enfin cet évanouissement dans le plaisir. Ses baisers au lieu de l'étouffer la font respirer. En sentant la puissance du sexe de Jorgen, tendu entre ses petites mains de couturière, elle a peur de ne pas être assez grande pour lui, qu'il la déchire ou la blesse, mais c'est à peine si elle le sent glisser en elle. Dès leur première rencontre Reine a su qu'elle lui était destinée depuis toujours. Elle s'enivre de sa sueur et de sa peau. Reine ne se rassasie pas de le renifler, de l'embrasser. Jorgen ne se rassasie pas non plus de ses rondeurs, de ses fesses, de ses hanches ; se régaler de ses seins et se passionner pour la blancheur laiteuse de sa peau. En pleine extase devant le corps de Reine, il ne peut s'empêcher d'évoquer Bethsabée. Tu es Bethsabée. Elle ne connaît pas le tableau de Rembrandt. Le nom du peintre ne lui dit rien. Sa connaissance de la peinture se limite à la *Colombe* de Picasso, et à la *Bergère dans le crépuscule* de Millet. Mais savoir que son corps, ses formes, ses cuisses, ses seins, ses fesses ont inspiré un peintre célèbre brise la dernière limite de sa pudeur. Elle a l'impression de mourir sans mourir. Elle se noie sans se noyer. Pour la première fois de sa vie, elle est submergée par une sorte de mouvement liquide qui monte et se retire sans cesse au-dedans. Elle est presque sans connaissance, sans consistance, faite d'une eau pure et rafraîchissante qui la brûle par moments et l'inonde tout entière.

Reine pense qu'elle vient de faire l'amour pour la première fois et pourrait s'endormir dans les bras de cet homme qu'elle a l'impression de connaître depuis toujours. Elle a une folle envie de chocolat. Jorgen sourit : il n'a pas oublié sa promesse et lui fait déguster sur le bout de son doigt un peu de chocolat en poudre. Déguster. Il veut savoir si c'est le mot juste. Elle déguste donc. Elle aime ce goût amer du chocolat noir en poudre qui pourtant n'a rien à voir avec les souvenirs d'enfance de Reine. Probablement parce que Edmonde le sucrait trop. Jorgen a aussi préparé dans un thermos la mixture coloniale traditionnelle, celle que l'on buvait au XVIIe siècle, au temps de Rembrandt justement. Elle ne goûte pas, elle lape avec réserve et curiosité. C'est suave et parfumé. Mais toujours rien à voir avec son souvenir d'enfance. Probablement parce que sa grand-mère le diluait dans le lait plutôt que dans de l'eau. Mélanger le lait au chocolat, c'est renoncer aux siècles ! Les siècles ne sont pas le passé, ils sont l'histoire. Mais il n'arrive pas à le dire dans un français qui l'éblouirait. Il ne cherche pas à faire remonter en elle un souvenir d'enfance, surtout pas. C'est une expérience. L'impression qu'il lui livre un secret. Il veut avant tout lui fabriquer un souvenir pour les siècles à venir, pour que plus jamais elle ne boive ce nectar préparé à l'eau bouillante sans que tous ses sens ne frissonnent de cette éternité. Ce jour où le siècle de Rembrandt est entré dans la cabine du camion, pour se fondre avec l'odeur de cuir des sièges, le paysage de l'aire de repos, le silence que le chant des oiseaux étend autour d'eux comme un linge pour les protéger, la lumière du matin, les mains de Jorgen et ses baisers d'homme sur son corps de femme.

C'est la première fois qu'elle ressent un lien puissant entre le corps qui désire ardemment l'autre et les pensées les plus profondes sur soi et sur le monde. C'est comme si Jorgen, en un regard, avait fait surgir en elle tout ce qu'elle est, tout ce dont elle est capable, toute sa puissance et toute sa beauté. Tout, depuis qu'elle a fait l'amour avec Jorgen, entre en collision et se relie. Les morts avec les vivants, ses tissanderies avec sa vie ordinaire, ses enfants avec son travail, ses rêves avec la réalité, la couture avec les images, le silence avec le bruit, la peur avec la joie, la religion des ancêtres avec le communisme d'Edmonde.

À sa pause elle va s'acheter un sandwich, mais c'est plus fort qu'elle. Elle a envie d'entrer dans l'église Saint-Austremoine devant laquelle elle est passée des dizaines de fois sans jamais y mettre les pieds. Il faut qu'elle y entre, comme

Edmonde après la chute du Mur de Berlin. Elle se dit qu'un mur aussi est en train de s'effondrer en elle.

Une fresque du XIVe siècle l'arrête dès l'entrée. C'est écrit sur une pancarte : *Fresque du XIVe siècle*. Elle compte sur ses doigts. Ça fait plus de six cents ans ! C'est vertigineux et rare de poser son regard sur une image que tant d'autres avant elle ont contemplée et pendant tant de générations. Son regard ne s'ajoute pas aux autres, il les traverse. C'est la première fois qu'elle parvient à mesurer l'épaisseur du temps. Une image aussi vieille et si peu abîmée, comment est-ce possible ? Puis, c'est le mot « image » qui commence à danser dans sa tête bien plus que l'image elle-même. C'est le mot que Jorgen a prononcé plusieurs fois et dont elle a bien compris qu'il n'avait rien à voir avec les images de la télévision. L'image de la femme à la mobylette ! La première image qu'elle a d'elle-même. Et c'est Jorgen qui vient de la lui offrir.

Elle est seule dans l'église. C'est un désert qu'elle doit traverser. Mais un désert qui n'est pas hostile. Grâce aux vitraux et aux faibles éclairages des cierges de dévotion il ne fait ni jour, ni nuit, ni froid, ni chaud. Ni un crépuscule, ni une aurore. Rien qu'une nuée de personnages placés très haut dans les vitraux colorés que les rayons du soleil font vibrer dans un silence parfait. Cette lumière l'inonde et la remplit. Tout la soutient et la retourne, les ombres la protègent, les peintures l'éblouissent, les piliers fleuris et étoilés la rassurent et cette odeur d'encens l'enivre légèrement.

C'est une étrange métamorphose. Jorgen ne quitte pas ses pensées. Il se substitue à Edmonde. Quelque chose d'invisible se produit et dehors et dedans, l'attrape au cœur et soulève son âme toute légère. Elle pense que c'est son âme parce que ses pieds ne quittent pas le sol. Le mot « âme » lui apparaît alors comme le début du mot « amour ». Un amour qui serait dit dans une telle extase qu'on ne pourrait finir de le prononcer. Âme... Pourtant, elle ne sent plus ses kilos en trop, pas plus qu'elle ne les a sentis dans le regard de Jorgen. C'est ce qu'elle voulait depuis toujours, un regard qui la soulève jusqu'à elle-même. Mais le regard d'un homme vivant.

Machinalement, elle range son sandwich dans son sac en papier puis dans la poche de sa veste, non pas parce qu'elle trouve indécent de manger dans une église mais parce qu'elle est rassasiée. Elle continue son exploration jusqu'au Christ grandeur nature, à moitié nu, maigre et cloué sur sa croix, qu'elle n'a plus vu depuis l'époque où elle allait le regarder en cachette d'Edmonde. Il est beau, la tête penchée avec son regard d'une douceur incroyable. Non ! D'une douleur incroyable. Elle ne sait plus. Les deux mots se ressemblent trop. Même chose dans le regard de Jorgen, une douceur et une douleur. Tout la trouble, la blondeur du crucifié, la même légère frisure, la même barbe courte que Jorgen. Elle a du mal à comprendre qu'on ait pu laisser cet homme cloué sur une croix pour l'éternité et dans un tel état de souffrance. Elle voudrait le descendre de ce perchoir morbide et le prendre dans ses bras. Elle ne sait pas qu'une femme, folle de lui, était là quand on l'a descendu de la croix. Reine est éclaboussée d'amour. Ça ne vient pas de la plaie, pas des épines, pas des clous dans les mains et dans les pieds non plus. Ça vient du regard. Elle pourrait presque croire qu'il a volontairement pris les yeux du Hollandais pour la rassurer et qu'elle n'ait aucun doute sur son désir de l'accueillir. Jorgen lui a souri sur le parking. Heureusement. Sinon elle aurait fui. Sur la croix, il ne sourit pas, mais il ne se plaint pas non plus. Comme elle, il attend quelque chose, un signe sur la terre. C'est toute une humanité qu'elle croise ici dans ce regard.

L'église est devenue un corps vivant qui lui ouvre ses entrailles. Les piliers et les chapiteaux peints sont des os, les entrelacs savants, les fioritures de grenades, les couleurs ni trop vives, ni trop sombres sont les organes et le sang. Les vitraux sont les ancêtres qui se souviennent. Tout l'or de l'autel est comme une langue maternelle douce et vibrante. Elle a chaud. Tout ici n'est plus que la trace des hommes qui ont fixé leurs promesses, leurs espérances et leurs murmures d'amour. Ineffaçable. Tout, absolument tout depuis sa rencontre avec Jorgen la relie aux siècles passés, elle qui ne fut reliée toute sa vie qu'à Edmonde et à ses enfants. Fille puis mère. Rien d'autre. Elle comprend maintenant le lien que Jorgen a essayé de lui faire sentir entre le chocolat à l'eau et le peintre hollandais. C'est la même chose. Elle n'en revient pas de ce que Jorgen ouvre en elle.

Alors, le récit d'Edmonde lui revient, celui de la ferveur des ancêtres. Ni Marguerite la mère d'Edmonde, ni Madeleine sa grand-mère, ni la très vieille Olympe son arrière-grand-mère ne s'étaient jamais adressées au Christ. Toujours à Jésus. Parce que toutes les ancêtres étaient du côté du vivant. Jamais du crucifié, ni de l'agonisant. Tous les jours, elles s'adressaient à celui qui parlait, celui qui marchait sur la terre et celui qui marchait sur les eaux, celui qui se faisait laver et parfumer les pieds par une femme aux mœurs légères, celui qui mangeait avec ses amis et celui qui s'adressait plus souvent aux femmes dont il aimait les péchés plutôt qu'aux hommes vertueux dont il craignait la rigidité. *Que celui qui n'a jamais péché jette la première pierre*. Cette phrase était le cœur ardent, le socle solide de leur foi à toutes, parce que lui, ce Jésus, n'avait pas jeté la première pierre non plus ce jour-là de l'Antiquité. Il n'était donc pas plus vertueux que les autres, il était un pécheur et connaissait sûrement le goût et le prix de la faute. Il était un homme que seule sa parole avait rendu immortel. Et quelle parole, nom de Dieu ! Ses ancêtres avaient aimé au-delà de la raison l'homme qui ne jetait pas de pierres sur les femmes. Et elles le célébraient tous les jours de leur vie. Pas un jour sans lui. Jésus était vivant et il le fut durant toute l'enfance d'Edmonde, une fois un petit enfant, une autre fois un bel homme aux cheveux longs et au regard noir ou bleu mais profond, une fois effroyablement silencieux, une autre fois prêcheur invétéré, une fois homme, une fois Dieu. Fils mais jamais père. Un vieux garçon en somme, comme elles en connaissaient dans les alentours. Des hommes convoitables, souvent très beaux, qui préféraient malgré tout leur liberté aux liens du mariage. Ceux qui aimaient la terre plus que tout, peut-être même plus que le ciel. Jésus était un homme, un vrai, capable d'aimer et de parler. Rien de plus. Les ancêtres ont toute leur vie mangé à la table des apôtres, et même prié en mangeant. En contrepartie de quoi, Jésus, dans ce chapelet des jours, les accompagnait aux champs, au jardin, dans la basse-cour, à l'étable, dans la cuisine, surtout dans la cuisine, là où le partage se faisait sans suer. Ce n'était que bien plus tard en entrant chacune dans sa chambre avec la nuit qu'elles consentaient à s'agenouiller, une minute, pas plus, en toute intimité, devant un petit crucifix en os accroché au mur juste au-dessus du lit. Jésus à ce moment-là seulement devenait le Christ. Alors, elles pouvaient prier le mort avant de s'endormir, elles-mêmes mortes de fatigue, dans l'espoir de ressusciter vers les cinq heures du matin avec lui, pour recommencer le travail des jours. C'était ça le miracle de la résurrection des corps, rien d'autre.

Le miracle de la résurrection se passe donc ici sur la terre et non au ciel.

Cet amour inconditionnel qui n'a même pas besoin du temps pour se solidifier la soutient et la révèle. Il est une torche. Il éclaire quelque chose dans sa nuit pour qu'elle ne s'égare plus. C'est ce qu'elle mettra dans sa prochaine tissanderie. Depuis sa rencontre avec Jorgen elle en a fait plusieurs dans des boîtes à chaussures : huit petites scènes de théâtre magnifiques qu'elle a déposées, les unes après les autres, entre les mains des défunts qu'on lui avait confiés. À chaque fois ce fut un éblouissement pour tout le monde, sans parler des costumes qu'elle crée et qu'elle coud. Il y a quelques jours, un jeune homme, grand et droit comme un danseur qui accompagnait la dépouille de son père, lui a confié que la seule chose que ce dernier avait aimée dans sa vie ce n'était pas d'avoir eu un fils, c'était d'avoir été marin sur le *Jeanne d'Arc*. Alors comment habiller un homme que l'on aime et qui ne vous aime pas ? Toute sa vie, durant les longues absences de son père, il l'avait imaginé en marin, mais il n'a pas retrouvé son costume, ni la vareuse, ni le pantalon à pont, ni le béret avec le pompon. Deux jours plus tard, quand le jeune homme est revenu, il a eu la surprise de découvrir son père habillé en matelot de lamé bleu. Rien ne manquait. Pas même le pompon en laine rouge. Reine s'est excusée pour le lamé mais c'était le seul tissu bleu qui lui restait. Le jeune homme l'a prise dans ses bras.

Huit tissanderies. Une danseuse dans *Le Lac des cygnes*. Un bar de bikers. Une laboureuse dans son champ. Un ouvrier Michelin avec des pneus en or. Une prostituée sur son trottoir. Un prêtre agenouillé dans un désert. Une mère de famille dans sa cuisine. La huitième est pour elle. Elle s'y est représentée avec Jorgen, nus, dans son camion jaune et chromé de lamé argent, sous un ciel doré avec quelques oiseaux bleu et vert faits de perles minuscules. Elle avait apporté un soin particulier à l'expression des visages et des corps qui, si elle s'approche avec sa loupe, leur ressemblent vraiment. Elle est heureuse.

Jorgen est muet devant l'image en tissu qu'elle vient de lui offrir. Son regard se perd dans la tissanderie. On dirait un regard d'expert qui fouille l'image. Ce qu'il voit est unique. Il le dit. C'est unique parce que c'est sincère. *Je n'ai jamais vu une chose pareille !* Elle ne comprend pas ce qui le fait pleurer.

Ils ne parlent jamais d'eux. Ce qu'il y a à dire a déjà été dit. Souvent, ils restent dans les bras l'un de l'autre, épuisés par la jouissance, à écouter battre leurs cœurs. Reine découvre que l'amour se passe de paroles. C'est une sacrée découverte pour elle qui a toujours eu besoin de dire à Olivier tout ce qu'elle ressentait, parfois même un peu plus pour le rassurer. Dans le camion, Jorgen a la sensation que sa vie pourrait s'arrêter maintenant. *Je peux mourir.* Elle n'aime pas cette idée et se demande pourquoi la mort ou l'idée de la mort traîne toujours autour de l'amour. Jorgen l'écoute. Elle parle pour la première fois. C'est la première fois qu'elle dit des choses qui ne viennent pas du dehors. Pas ces phrases qui s'encastrent en elle. Des pensées qui se forment dans des phrases du dedans. Bien sûr elle pense aux morts à cause de son Edmonde ou de son travail. Mais là, ce ne sont pas les morts qui la préoccupent. C'est l'idée de penser à la mort quand le bonheur surgit. Cette idée, elle ne l'a connue que dans le malheur. Pourtant, elle reconnaît qu'elle vient d'effleurer en jouissant le bord de cet Outre Monde, comme l'appelait Edmonde. Jorgen comprend tout de ce qu'elle dit. Il est fou d'elle. Il dit : *Je veux te peindre*. Elle ne mesure pas la portée de ses mots.

Bethsabée revient dans la bouche de Jorgen. Rembrandt et Hendrickje. Des noms qui appartiennent à la langue de Jorgen. Tous contenus dans un tableau reproduit sur une carte postale qui représente Bethsabée. Rien n'étonne Reine. C'est vrai que cette femme lui ressemble trait pour trait, et de visage et de corps. Alors, elle veut tout savoir sur cette femme qui a vécu dans un autre temps, parée de bijoux malgré sa nudité. Avec les quelques mots de français que Jorgen peut rassembler, il se lance :

— Le roi David voit Bethsabée dans jardin. Très beau jardin. Il la trouve belle mais mariée. Bethsabée devient mère du roi Salomon. Mais ça, on s'en fout, c'est pas dans le tableau... Rembrandt se fout du roi David aussi. Lui, il peint la femme de son amour. Tu comprends ? Elle a un nom. Pas Bethsabée. Hendrickje Stoffels. C'est son vrai nom. Rembrandt épouse elle après sa femme morte. Il peint elle tout le temps, partout. C'est mon tableau, le préféré au monde. Et toi ma femme à la mobylette, tu es belle comme elle.

Il commence à lui raconter l'histoire de Rembrandt. De ce récit difficile en français mais posé mot par mot comme pour construire un édifice solide il parvient à éblouir Reine. Elle se blottit dans ses bras. Non plus une forge mais un livre qui se referme sur elle. Elle peut l'écouter sans fin. Apprendre toutes autres choses merveilleuses du passé. Même ses ancêtres ne sont plus isolées dans les temps anciens. Ils en oublient de faire l'amour, ils l'ont fait autrement, avec les yeux dans l'image et dans le récit de l'image, dans la voix de Jorgen qu'elle écoute et qui semble l'ensemencer. C'est la première fois de sa vie qu'elle s'endort dans les mots et dans les bras d'un homme. Jusque-là, elle n'en avait jamais eu besoin. Une fois qu'Olivier avait joui il s'endormait en lui tournant le dos. Jamais elle n'avait trouvé ça insultant, ni même désagréable. Ce n'est que maintenant qu'elle ressent l'insulte.

Quand elle se réveille, Jorgen n'a pas bougé. Il sourit. Il n'a fait que la regarder dormir. Oui, tout le temps, toutes les secondes.

— Ne pas oublier ce moment, dit-il.

On aurait dit que l'automne venait de poser une couronne d'or et de rubis sur les arbres qui entourent l'aire de repos. Ça, c'est Reine qui l'exprime. Mais ce n'est pas la fin de matinée, comme elle le croit. C'est déjà le soir. Elle a du mal à croire qu'elle a dormi toute la journée dans les bras de Jorgen et sans qu'il ait bougé d'un millimètre. Le soir tombe. Elle a raté une journée de travail. Ce n'est pas grave, les morts peuvent attendre un jour de plus ; et Jorgen ne livrera pas ses paquets à l'heure prévue en Espagne. Rien de grave. Il la rassure. Il la regarde. Il cherche sa bouche comme un nourrisson le sein de sa mère. Lui manger les lèvres, les téter doucement. Puis il propose de mettre la mobylette dans la remorque. Il y a une partie non réfrigérée. Et s'il la déposait devant chez elle ? Il espère qu'elle va l'inviter à passer la nuit, mais il comprend très vite, à l'embarras de Reine, qu'il doit s'en tenir à la limite qu'ils ont fixée ensemble : ce parking où leur amour n'est soumis à aucune confrontation au monde ordinaire. Il l'aime plus que tout. Il le dit.

La lumière de la lampe qui éclaire la machine à coudre révèle dans la carte postale la présence d'une femme qu'elle n'avait pas vue dans le camion. C'est une femme âgée agenouillée devant sa maîtresse Bethsabée. Elle est habillée et sa maîtresse est nue. Elle lui lave les pieds. Ça lui fait penser aux soins qu'Edmonde lui a prodigués toute son enfance. À Edmonde, elle aurait pu parler de Jorgen. Edmonde lui manque. Personne mieux qu'elle ne savait partager les secrets. Bethsabée. Hendrickje. Rembrandt. L'amour du peintre. Elle sent bien qu'il y a là un mystère.

Reine a, depuis toujours, besoin de fabriquer des images pour se souvenir, pour donner une consistance à ses rêves ou tout simplement pour comprendre, comme sa boîte de la Vierge-Annette ou ses tissanderies. Jorgen a une image d'elle : l'image de la femme à la mobylette.

Il connaissait même la Vierge de Monton. En dehors du camion et de l'aire de repos, elle n'a aucune image dans laquelle elle peut projeter Jorgen, une image qui le sacraliserait. Elle veut rééquilibrer la situation sans mesurer qu'il pourrait y avoir un danger à le faire. Elle veut juste voir la ville où il vit, où il a grandi et où il habite avec sa femme et ses enfants.

Sur le clavier de l'ordinateur, qui lui sert uniquement à partir à la recherche de vidéos de concerts de Shirley Bassey, elle pose chaque lettre de la ville A M S T E R D A M dont elle trouve l'orthographe à l'arrière de la carte postale. En très peu de temps elle peut lire le texte écrit sur Wikipédia. Plus elle avance dans sa lecture, plus Reine s'enthousiasme de voir des images de la ville, elle trouve même une vidéo qui raconte que la ville se trouve au bord de la mer du Nord pleine de harengs et qu'un roi règne encore dans ce pays froid dont chaque photo lui évoque les contes de son enfance, comme celui de *La Reine des neiges* d'Andersen. Andersen, un autre homme du Nord apparemment. Alors elle veut voir une photo du poète et découvre qu'il est d'une grande laideur, il ressemble à un singe et cela la fait éclater de rire. Igor, qui l'observe tandis que Sacha et Sonia se laissent dévorer par les images de la télévision, croit que sa mère est en pleine bouffée délirante tant son excitation est anormale.

Elle ne résiste pas à la tentation de taper le nom de Jorgen Aberson. Après avoir lancé sa recherche, elle découvre plusieurs pages le concernant. Toutes les pages sur Jorgen Aberson parlent d'un peintre et sculpteur célèbre. Elle relit plusieurs fois. Elle pense qu'il s'agit de quelqu'un d'autre mais un clic suffit à faire apparaître la photo de Jorgen. Son Jorgen. Elle a du mal à le croire.

Elle passe une longue partie de la soirée à décrypter le texte toute seule, au lieu de demander de l'aide à Igor. Mais elle ne veut pas rendre son fils complice du secret de sa vie. Elle se force et finit par réussir à lire la page le concernant. L'article s'achève ainsi :

> Après trois expositions majeures de ses tableaux et de ses sculptures aux États-Unis, Jorgen Aberson a fait, le 8 mars 2006, une déclaration publique annonçant son retrait définitif du monde de l'art : « L'art est mort puisqu'il n'a plus d'autre projet que de dire l'insignifiance et le cynisme du monde et de l'art lui-même, ce qui explique qu'il soit entre les mains de spéculateurs qui, souvent, sont les plus responsables de cette insignifiance et de ce cynisme. L'art dit "contemporain" est devenu obscène. D'ailleurs, a-t-il conclu, il n'y a rien de plus suspect que de devoir ajouter un autre mot derrière le mot "art". L'art n'est ni contemporain, ni classique, ni vieux, ni moderne, il est de l'art ou il n'en est pas. » Jorgen Aberson cessa en 2006 de peindre et de sculpter. Il n'honorera plus aucune

des commandes d'État qu'on lui avait passées. Une perte considérable pour l'art contemporain (pardon) néerlandais et international.

Reine est agitée. Elle semble mordre l'air de la pièce où se tiennent les trois enfants. Elle s'en veut d'avoir découvert ces choses sur Jorgen dont il ne lui avait pas parlé, d'avoir brisé ce dôme de verre dans lequel ils s'enferment depuis des semaines pour s'aimer et laisser leurs corps se dire des choses qui n'ont pas de mots. C'est une trahison. Elle vient de rompre leur pacte « rien avant toi n'a existé ». Elle tourne dans la pièce sous les regards ahuris d'Igor mais aussi des deux autres, alertés par ce tourbillon qui les sort de leur torpeur télévisuelle. Elle suffoque. Heureusement, elle croise l'inquiétude dans les yeux d'Igor, sa boussole. Et, pour éviter de leur faire subir ce raz-de-marée qui la submerge, elle monte s'enfermer dans sa chambre.

Elle voulait simplement savoir où il vivait, dans quel environnement, elle ne voulait pas percer ses secrets. Elle comprend mieux ses mains et le nom de Rembrandt dans sa bouche. Elle comprend mieux qu'il lui ait dit « j'aimerais te peindre ». Si seulement elle savait comment oublier ces choses qu'elle vient d'apprendre pour que son regard sur Jorgen reste le même. Même son regard sur Bethsabée change. Ce n'est pas le cadeau d'un routier néerlandais amoureux, c'est le cadeau d'un peintre qui connaît parfaitement bien la peinture à une femme qui n'y connaît rien. C'est une bonté qu'elle vient d'abîmer. Elle ne pense plus à sa tissanderie. Elle a déjà oublié l'émerveillement de Jorgen devant son travail.

Il y a nécessairement un message qu'elle n'a pas vu dans le tableau. Elle fouille l'image à la recherche de quelque chose d'important qui aurait échappé à son œil de novice et qui pourrait l'aider à calmer cette agitation qui s'empare de ses mains, les crispe jusqu'à les tétaniser. Elle en a mal dans les doigts. Elle sait bien ce que c'est qu'une image. Son expérience des tissanderies lui a appris toutes ces choses secrètes que l'on y enfouit, des choses que personne ne peut voir ou ne verra qu'après une longue exploration, comme le jour où Igor lui avait demandé pourquoi elle l'avait représenté plus grand que son frère et sa sœur.

Elle observe scrupuleusement la reproduction du tableau de Rembrandt avec une fixité et une attention qui l'engloutit. Elle s'obstine, reste longtemps avec la carte postale dans la main sous le faisceau lumineux de la lampe de chevet. Son regard glisse sur les bourrelets de Bethsabée, sur la lettre un peu froissée qu'elle tient dans une main, sur le chapeau étrange et plissé de la servante à ses pieds, sur les amas de tissus. Mais elle a beau fouiller l'image, elle ne voit rien d'autre que le corps nu de cette femme un peu grasse mais sensuelle qui tient la lettre du roi David dans une main malgré la servante à ses pieds qui l'aide à sa toilette. La robe en brocart doré jetée près d'elle et les masses formées par les tissus autour de ses fesses sont posées comme du linge sale dans une lingerie, mais leur blanc est bien trop éclatant pour ça. Et si ce n'était que son lit défait ? Pourquoi le lit serait-il défait ? Ou bien sa servante la lave après qu'elle a fait l'amour avec le roi parce qu'elle se sent sale ? Mais alors pourquoi elle tiendrait la lettre dans laquelle il lui donne rendez-vous ? C'est fatigant de ne rien réussir à lire d'autre que la beauté de l'image. Elle doit être plus exigeante si elle veut la traverser et atteindre l'œil du peintre, celui de Rembrandt ou celui de Jorgen, c'est le même, c'est obligé, maintenant qu'elle sait qu'il était un grand peintre. Elle a toute la nuit.

Plusieurs fois, elle reprend sa lecture de l'image, chaque fois plus attentionnée et plus scrupuleuse. Jamais elle n'a fait un tel exercice. Elle voudrait n'avoir jamais rencontré Jorgen parce qu'elle ne serait pas confrontée à l'impasse de son ignorance ! Elle s'enfonce dans l'image peinte jusqu'à l'hypnose, au point d'oublier la chambre dans laquelle elle se tient, la maison, les enfants, sa vie.

À force, quelque chose apparaît. Bethsabée se prépare pour se rendre à ce rendez-vous mais elle n'a pas sur le visage la joie que Reine ressent quand elle va retrouver Jorgen. Pourquoi cette tristesse alors qu'elle se prépare, elle aussi, à retrouver son amant ? Est-elle vraiment triste ? Elle est même désespérée. Et le drap autour d'elle ne serait-il pas plutôt un linceul dont elle préférerait se couvrir ?

Reine finit par se dire qu'elle devrait regarder l'image comme un point de broderie en train de se former, par la seule volonté du dessin qu'elle a dans la tête. La toilette à laquelle procède la servante lui paraît soudain passive, molle. C'est sûr, Bethsabée ne ressent rien. Elle est comme endolorie et se laisse laver les pieds sans réaction. On dirait une toilette mortuaire. Elle est vivante mais déjà morte. La lumière dans le tableau joue manifestement un grand rôle dans cette impression crépusculaire. Ce n'est pas une lumière ordinaire. Rien n'est ordinaire dans ce tableau. La lumière ne vient pas de la flamme d'une bougie, ni du soleil, elle vient d'ailleurs. Mais impossible de savoir d'où. Dans un sursaut presque effrayant, elle fait le lien avec la lumière sur l'aire de repos quand elle s'est réveillée dans les bras de Jorgen croyant que c'était la fin de matinée alors que le soir tombait. Elle en est sûre, c'est une lumière de fin de journée. Peut-être de fin de vie. Elle ne trouve rien de plus. Elle est épuisée et inquiète. Elle ne sait pas ce qu'elle peut faire de ses découvertes.

Elle est très en avance sur le parking et profite de cet instant, seule sur l'aire de repos, pour préparer sa confession. C'est difficile. Il faut qu'elle choisisse ses mots. Il en faut très peu pour que Jorgen comprenne ce qu'elle a à dire. Si elle fait des phrases trop longues, il se perdra à l'intérieur. Toute la nuit elle a cherché un moyen pour rééquilibrer la partie. Impossible de croire que ses tissanderies ont déjà produit cet équilibre. Elle est convaincue qu'elle n'a pas d'autre solution que de faire à Jorgen un aveu qu'elle n'oserait jamais révéler à personne. Un secret. Le secret de la nuit où elle a pensé mettre fin à la vie de ses enfants. Mais comment le dire ?

Moi. Une nuit. Tuer. Mes enfants. Voulu. Pas fait ! Voulu ! Me tuer après.

Elle reprend : Moi. Perdue. Seule. Une nuit folle. Pensé à finir ma vie et la vie de mes enfants.

Elle reprend parce qu'il faut que ce soit juste : Moi. Folle. Une nuit. Effrayée. Couteau. Enfants. Pas morts ! Juste ce désir fou.

Elle s'en approche et reprend encore en s'attachant au mot « effrayée » qui lui est venu sans l'avoir pensé avant : effrayée par quoi ? Moi. Effrayée par ma vie sans vie, avant toi. AVANT TOI. Folle. Douleur. Enfants tristes. Pas d'autre solution. Les tuer et me tuer après. Juste désiré. Je ne l'ai pas fait. Je ne l'ai pas fait. Juste désiré, mais si ce temps revenait... Il ne faut pas me quitter.

Ça la terrasse, chaque fois qu'elle pense à cette nuit. C'est impossible à dire, même avec beaucoup de mots puisque Reine ne parvient même pas à se raconter à elle-même cette nuit d'épouvante. *Tout finit dans l'absence et le silence absolu du monde*. C'était la phrase qui l'avait sauvée. La seule phrase qui lui avait donné envie de changer sa vie en commençant à rechercher le jardin sous la ferraille de la cour et où elle avait trouvé la mobylette. Parce que la phrase lui avait fait peur. Elle craint que son histoire avec Jorgen ne finisse dans l'absence et le silence absolu du monde.

Le camion jaune aux pare-chocs chromés argent pile devant elle. Le monstre décompresse. Le sourire de Jorgen a sur Reine un effet dévastateur. Elle est bien trop agitée. Jamais Jorgen n'a vu une telle gravité sur son visage. Elle s'enfonce dans ses épaules pour disparaître, les poings serrés dans ses poches. Il saute de la cabine et court jusqu'à elle. Des inconnus sur le parking sont témoins de la scène. Serrée contre lui elle se défait entièrement. En laissant entrer dans leur parenthèse d'amour une partie de sa douleur elle craint de briser leur lien intime et clandestin. Jorgen n'est pas homme à fuir les larmes d'une femme ; il a la carrure pour supporter bien pire. Ça, elle le sait depuis toujours. Il faut la bercer doucement pour la laisser s'effondrer. Reine est inconsolable. Incapable de dire à haute voix son secret. Alors elle trouve un autre chemin qui s'approche davantage de ce qu'elle ressent et de la trahison dont elle s'accuse.

— C'est un linceul dans le tableau. Bethsabée veut mourir. Elle ne peut pas supporter de trahir, même si c'est pour retrouver l'homme qu'elle aime.

C'est une phrase inimaginable, impossible, à cette heure-ci sur un parking. Elle la répète comme si elle l'avait apprise par cœur alors qu'elle vient de la trouver dans le fatras de ses pensées.

— C'est un linceul dans le tableau. Tu comprends ? Bethsabée veut mourir parce qu'elle ne peut pas supporter de trahir.

Elle répète le mot « trahir ».

Jorgen acquiesce, convaincu que le malaise de Reine provient de l'image qu'il lui a offerte et qu'elle a prise pour un message sur la trahison de l'adultère. Immédiatement, il lui oppose une autre phrase, un antidote à ce poison que l'image a, malgré lui, distillé dans son esprit.

Le malentendu n'a, ici, pas d'importance puisqu'il a le pouvoir de faire résonner avec une incroyable justesse sa peur de perdre Reine. C'est même ce qui l'oblige à briser le silence qu'il s'était imposé à lui-même.

— Non, tu n'es pas Bethsabée. Tu n'es pas Bethsabée ! Crois-moi. Pardonne-moi. Regarde mes yeux. Regarde mes yeux !... Moi, je suis Rembrandt. Et toi, tu es Hendrickje. Tu comprends ? Moi je suis Rembrandt et toi tu es Hendrickje.

La phrase en français est parfaite, tous les mots sont à la bonne place. En faisant cet effort il veut s'assurer qu'elle comprend bien ce qu'il a tant de mal à dire. Il répète : *Je suis Rembrandt et tu es Hendrickje. Tu comprends ? Tu comprends ! Je suis Rembrandt et tu es Hendrickje.*

Reine entend surtout l'aveu sur la peinture. Jorgen est loin d'imaginer que, par cette révélation, il est en train de rééquilibrer les choses entre eux, donc d'apaiser Reine qui ne sera pas obligée de lui faire son aveu. *Je suis Rembrandt.* Et elle entend : je suis un peintre.

— Tu comprends ? insiste-t-il en français.

Ses yeux bridés qui fendent si bien son sourire ordinairement ne sont plus que deux blessures.

— Jamais rencontré un être aussi sincère que toi. Jamais. Tu me redonnes vie. Je te regarde et je te vois. Tu me regardes et tu me vois.

Elle entend ce qu'il dit sans le dire. Peut-être que, grâce à elle, il pourra ressusciter la peinture. Elle croit suffisamment en la résurrection, en toutes les résurrections, pour croire à ce miracle entre deux êtres qui s'aiment. Reine, bouleversée par ce Viking désarmé qu'elle a cru trahir, sait qu'elle doit répondre pour ne pas l'abandonner à cette confidence et lui assurer qu'elle sera là toujours, tout le temps, pour que la peinture surgisse à nouveau. D'instinct, Reine sait ces choses troublantes et complexes qu'elle a aussi apprises en faisant ses tissanderies. Il faut qu'elle trouve des mots suffisamment justes et suffisamment courts pour que sa parole accomplisse ce miracle. Elle les trouve.

— Tu es le peintre et je suis l'amour du peintre.

Jusqu'à ce jour d'apocalypse, Reine a toujours eu l'impression que Jorgen comprenait ce qu'elle lui disait dans une langue qu'il connaissait très mal, sans jamais insister pour se faire comprendre. Elle en français, et lui en néerlandais. Leurs langues agissent comme deux corps en fusion, c'est comme si le français était un autre corps inventé pour l'aimer, lui et uniquement lui. Puisque avant lui elle ne se souvient plus de rien. Tout comme le néerlandais de Jorgen est un autre corps, fait du même désir que le sien de s'entendre, de fusionner, de se faire écho pour ne former qu'un seul corps d'amour, une mythologie, une poésie peut-être aussi. Elle voudrait retourner dans le camion parce qu'elle sait que dans cette petite cabine ils habitent une autre langue qu'ils inventent, une sorte d'espéranto du désir dont le vocabulaire se limite aux regards, aux intonations, aux émotions, à la sueur, aux larmes, aux rires et provoque d'autres jouissances. Tout peut se mesurer à la légèreté ou à la lourdeur d'une larme, à la gravité ou à la beauté d'un sourire, et chacun cherche le geste ou l'expression juste qui apaise ou enflamme leurs vies tout entières. Elle ne veut pas que ça s'arrête. Ça continue dans le silence du parking.

— Tu es le peintre et je suis l'amour du peintre.

Elle attend une réponse.

Jorgen, le géant du Nord, s'agrippe à elle si petite et leurs souffrances se serrent l'une contre l'autre. Il répète sans desserrer son étreinte :

— Oui, je suis le peintre et tu es l'amour du peintre.

Désormais ils pourront faire face ensemble à la brutalité de ce monde qui ne dit jamais son nom et qu'ils subissent pourtant depuis tant d'années avec la même violence : l'insignifiance.

Il faut retourner aux origines de la peinture, dit Jorgen. Il sait que sans un changement radical du monde il est impossible d'inventer une autre peinture. Il pense à Franz Marc, l'ami de Kandinsky qui est mort un matin de la Première Guerre mondiale, peut-être le plus grand peintre du monde mais dont on ne connaîtra jamais la peinture. L'expérience du changement radical, il l'a faite dans les tranchées. Et puis ce ne sont plus les idées, les combats des hommes qui font changer le monde, c'est l'argent, le seul Dieu auquel tout le monde se soumet et qui a aussi perverti le monde de l'art. La colère de Jorgen reprend le pas sur le renoncement. Il dit qu'il faut revenir à la source, à la grotte. On ne tue que les bêtes que l'on aime et il faut donc peindre la beauté des bêtes que l'on a tuées. C'est ça, ce que raconte Lascaux et c'est là-bas que se trouve le début de la peinture. Il faut tout recommencer. Elle n'a pas saisi tout ce qu'il a dit dans sa langue du Nord, mais elle comprend qu'il est déjà redevenu peintre.

Jorgen prend alors une décision. S'installer sur l'aire de repos et faire de son camion sa maison, sa grotte, son atelier. Ensuite ils verront. Il imagine déjà une grande maison pour eux et les enfants, ceux de Reine. Les siens resteront avec leur mère. Il les prendra en vacances. Il a tout réglé. Elle devrait se réjouir mais elle n'y arrive pas. Sans le savoir, il vient de la mettre à la place de la femme Atlantique. En même temps, il est la preuve que les hommes n'ont aucun droit sur les enfants. Que les enfants appartiennent bien à leur mère. Ils sont petits, dit-il, et ils ont besoin d'Ella. C'est la première fois qu'il prononce le prénom de sa femme. Tout a l'air simple pour cet homme jusqu'à ce qu'il dise :

— Je dois peindre à nouveau si je ne veux pas mourir et je sais qu'avec toi je vais trouver une peinture aussi sincère que toi. Tu es l'amour du peintre. Tu es le modèle de la vie.

Il va si loin que, face à une telle déclaration, elle n'a pas d'autre choix que de lui raconter son secret. Il l'écoute. Ça ne prend plus qu'une phrase.

— Une nuit, j'ai pensé tuer mes enfants.

Puis, elle dit que c'est à cause de la fatigue. Qu'elle ne l'a pas fait mais qu'elle aurait pu le faire. Que peut-être, si elle ne l'a pas fait, c'est parce qu'elle pensait au fond d'elle que Jorgen existait. Chaque jour, en lavant ses morts, elle pense à cette nuit qu'elle n'arrive pas à qualifier. Inqualifiable sûrement. Mourir avec eux, après eux, cela voulait dire ne pas pouvoir vivre sans eux. Peut-être que si elle ne l'a pas fait c'est parce qu'elle ne croyait pas vraiment à la résurrection des corps. C'est dans la vie que les résurrections ont lieu. Ça, elle y croit ardemment depuis qu'elle a rencontré Jorgen. Elle cherchait un chemin pour les sauver et se sauver avec eux. C'est ce chemin que Jorgen vient de lui proposer. Les enfants vont l'aimer. Ça, elle en est sûre. Surtout Igor. Mais Jorgen supportera-t-il d'être aimé par d'autres enfants que les siens ? Toutes sortes de questions affleurent. Toutes plus ou moins intéressantes, plus ou moins obligées, plus ou moins dangereuses. Elle n'aime pas cette mise au point qui fait entrer la réalité de sa vie dans cette histoire miraculeuse. Mais elle n'est pas folle. Elle sait qu'une mise au point s'impose.

Elle est restée calme dans les bras de Jorgen. C'est inhabituel, elle finit toujours par s'agiter quand elle parle, surtout quand elle dit des choses qu'elle se croyait incapable de dire. Parler, ordinairement, la détruit. Jorgen l'a écoutée attentivement et dit :

— Je veux commencer la peinture.

C'est tout ce qu'il dit. Reine croit qu'il veut dire recommencer.

— Non. Pas recommencer… Commencer.

Jorgen ne croit qu'aux commencements. Revenir à cette effroyable nécessité de peindre. Il répète « effroyable ». Retrouver son désir. Être dans le commencement. Une sorte de genèse. Réapprendre tout pour inventer. La Renaissance de Vinci et ses fonds bleus inachevés viennent le chercher sur ce parking. Il faut cesser de savoir faire, dit-il. Il faut tout oublier. Il est le peintre et elle est l'amour du peintre. Avec elle il sait qu'il peut commencer une autre vie, une autre peinture et chaque tableau ne sera qu'un commencement. Une paroi dans la caverne. Toute peinture sera inachevée. Surtout inachevée. Tu le veux ?

Elle n'a jamais rien voulu d'autre dans sa vie que d'être emportée le plus loin possible tout en restant sur place.

Le retour du réel

Reine n'arrive pas encore à se réjouir du bonheur qui vient vers elle. Elle pense à Ella qu'elle ne connaît pas et qui prend soudain une place centrale dans sa vie. Ella devient la femme du Nord. Reine connaît le désastre d'être quittée et de se retrouver seule avec ses enfants. Jorgen va revenir la semaine prochaine, mais cette fois-ci pour vivre avec elle. Il va venir la chercher. Et il va prendre aussi les enfants qu'il n'a pas faits. Mais est-ce que les enfants voudront de lui ? Elle ne veut faire de mal à personne. Elle doit d'abord parler à ses enfants de cet homme qui va tout transformer, qui va tous les emporter ailleurs. Tous les enfants aiment l'aventure. Puisque ses enfants sont le prolongement d'elle-même, elle ne craint pas leur entrée dans le corps d'amour qu'elle forme avec Jorgen pour les protéger eux aussi. On verra bien. Elle croit suffisamment en elle désormais, et en Jorgen, et en ses enfants. Plus qu'une semaine à attendre avant que cette joie ne se transforme en bonheur, de ce bonheur absolu qui n'a besoin de rien d'autre et de personne d'autre.

Elle est même déjà en train de bâtir de hauts murs pour enfermer tout cet amour avec Jorgen et ses enfants, mais elle cesse immédiatement cette construction imaginaire quand elle aperçoit une femme qui l'attend devant la porte de sa maison. Une ombre. Reine la connaît sans être capable de dire qui elle est. Elle est sûre de l'avoir déjà vue. Ça ne peut pas être la femme Atlantique, ni Ella, la femme de Jorgen. Ces deux-là, elle ne les a jamais vues. C'est une autre. Il est tard pour une visite. Reine descend de sa mobylette et la pousse jusqu'à la porte d'entrée encore pleine de sa joie, jusqu'à la femme qui l'attend, un cartable noir à la main.

— Vous avez un joli jardin, vraiment joli.

De quoi parle cette femme ? On ne voit pas grand-chose du jardin avec le soir qui s'apprête à tomber. Pourquoi parle-t-elle du jardin ?

— Où sont mes enfants ? Ils ne vous ont pas fait entrer ? Mais vous êtes qui ?

Ça vient dans le désordre, ça vient comme ça peut quand la peur commence à prendre le dessus et qu'il faut quand même faire face. Reine fait face mais elle ne sait pas à quoi. Elle sourit encore.

— Vos enfants ne sont plus là. Ils sont partis.

— Comment ça, mes enfants sont partis ? Pourquoi mes enfants vous auraient demandé de me faire passer le message. Ils vous connaissent même pas. Où ? Ils sont partis où ?

Elle répète la question parce que l'autre avec son tailleur-pantalon noir, ses petites chaussures en pointes noires et son gros cartable noir n'a pas l'air d'avoir compris ni d'avoir entendu.

— Il faudrait qu'on rentre. On serait mieux à l'intérieur.

Non, Reine ne rentre pas dans une maison vide sans ses enfants.

— Je ne vous connais pas. Je ne sais pas ce que vous me voulez.

Elle a envie de hurler, d'appeler Jorgen pour qu'il vienne foutre cette femme dehors. C'est à lui qu'elle pense en premier. Ça la surprend elle-même, d'ordinaire elle aurait pensé à Edmonde. Mais c'est le seul vivant qui peut la sauver à ce moment-là. Les morts n'ont aucun pouvoir sur ce genre de situation, les morts n'interviennent que dans les pensées intimes et personnelles. Quelle est la situation au juste ? Elle tremble de la tête aux pieds. Puis l'impensable tombe de la bouche de l'inconnue comme une vomissure :

— Vos enfants sont partis avec leur père.

C'est rien, cette phrase, rien que des petits mots posés les uns à côté des autres, le mot « enfants », le mot « partir », le mot « père », rien d'extraordinaire et pourtant ça fabrique une phrase monstrueuse que l'inconnue en tailleur et cartable prononce de façon définitive.

— Vous avez bien dû recevoir le jugement ?

— Non. Quel jugement d'abord ?

— Il vaudrait mieux qu'on entre pour parler, je vous assure.

Cette femme ne comprend pas que la maison sans les enfants est déjà devenue impénétrable. Reine change de sujet en demandant une cigarette mais l'inconnue ne fume pas.

— Moi je ne fume plus, continue Reine qui cherche à faire diversion, vous avez remarqué qu'on a toujours envie de fumer dans les pires moments, c'est curieux. On a beau dire des tas de choses sur la fumée de cigarette, qu'elle fait du mal et tout le reste, mais ça aide quelquefois et ça personne n'en parle jamais, vous ne croyez pas ?

De toute évidence, Reine est prête à toutes les conversations sauf à celle pour laquelle cette femme est venue. C'est une lutte intérieure comme celle de la nuit où elle avait dû lutter pour ne pas tuer ses enfants. L'autre est là sur le perron, plantée devant Reine comme une apparition. Si elle lui disait : « Je suis descendue du ciel pour vous annoncer un châtiment divin », ça ne l'étonnerait pas. Un ange noir. Par sa bouche sortent des mots que Reine ne veut pas entendre, ceux qu'elle redoutait et qu'elle croyait avoir réussi à effacer depuis qu'elle a trouvé du travail.

— Mais j'ai un travail ! J'ai un travail. Vous ne devez pas être au courant, c'est tout. Je travaille chez M. Chavarot, avec les morts. Enfin, je travaille avec les personnes défuntes. Je suis...

Elle n'arrive pas à retrouver le mot « thanatopractrice » qu'elle arrivait si bien à prononcer devant ses enfants pour adoucir à leurs yeux son nouveau travail. C'est trop compliqué tout d'un coup toutes ses syllabes improbables qui s'enchevêtrent dans sa peur et s'entortillent sur sa langue.

— Je lave les morts. Mais pas seulement. Je les aide à passer. Vous comprenez ça : passer. Passer chez les morts, bien sûr. Nous ne sommes plus très nombreux à faire ce travail. M. Chavarot dit toujours que notre monde, en perdant sa relation aux morts, a au fond perdu sa relation aux vivants. Je ne sais pas ce que vous en pensez mais ça ne m'a pas l'air faux, ce qu'il dit. M. Chavarot, c'est mon patron mais ce n'est pas vraiment un patron – je le sais parce que j'ai eu des patrons qui n'étaient pas des gens très recommandables. Vous avez remarqué ça aussi, que beaucoup de patrons pensent qu'il faut être désagréable avec leurs employés pour ressembler à un vrai patron ? M. Chavarot est très différent. Il met son métier des pompes funèbres au-dessus de tous les autres. C'est une entreprise familiale depuis quatre générations ! Et c'est moi qu'il a choisi pour travailler avec lui. Moi. Et M. Chavarot est très âgé et très cultivé. J'apprends beaucoup avec lui, un peu comme avec Jorgen. Jorgen est...

Elle sent bien qu'elle dérape, que la crise est en train de monter en elle. Non. Elle ne veut surtout pas impliquer Jorgen dans cette histoire même si elle aimerait qu'il vienne à son secours tout de suite. Mais pour l'instant Jorgen est comme les morts, il n'est pas là. Il faut qu'elle mette les choses dans les bonnes cases. Elle reprend :

— Je vous assure que c'est un métier utile, sinon que ferions-nous de tous nos morts, n'est-ce pas, si plus personne ne voulait s'en occuper ?

Elle voit bien qu'elle n'arrive pas à attendrir l'inconnue et qu'il faut qu'elle revienne à des choses plus matérielles, plus raisonnables, des choses qu'une femme habillée en noir avec un cartable peut comprendre.

— C'est un métier très bien rémunéré. Je gagne ma vie maintenant, mes enfants ne manquent de rien, je paye la cantine, je vais même pouvoir les emmener en vacances cet été. J'avais prévu de les emmener voir l'Océan. Ou alors les emmener à Amsterdam. C'est très beau Amsterdam. Je connais quelqu'un là-bas. Vous voyez que c'est un métier qui a beaucoup d'avantages et puis très agréable et très enrichissant (elle aime dire ça, « enrichissant »). Sinon, que vous dire d'autre ? On apprend beaucoup de choses sur la nature humaine dans ce métier quand on voit ces gens si nus et si vulnérables.

Elle est contente aussi du mot « vulnérable », venu naturellement compenser son impossibilité à dire « thanatopractrice ». La crise n'a pas encore tout à fait atteint son point culminant. Reine marque un temps d'arrêt à la manière d'un alpiniste avant d'atteindre le sommet d'une montagne. L'autre croit qu'elle est folle, ça se voit dans son regard. Et Reine le voit aussi.

— C'est incroyable, ce que les morts nous disent de choses sur la vie. Je veux dire des choses importantes. C'est un peu comme la couture si vous voulez. Vous cousez ?

— Non je ne couds pas. Mais il faut que je vous parle.

— Oui oui, je sais. Mais avant je voulais vous dire toutes ces choses nouvelles. Vous êtes d'accord avec moi : ce sont des choses importantes même si j'ai encore beaucoup à apprendre, je ne dis pas le contraire. On n'arrête jamais d'apprendre.

Cette phrase-là ne lui appartient pas, elle a dû l'entendre dire par quelqu'un à la télévision.

— C'est vrai aussi que je n'ai trouvé ce travail que depuis six mois. Putain de merde, il les a emmenés où, bordel ?

Le mot « bordel » résonne comme une barre de fer qui aurait déboulé un escalier en métal.

— À Biarritz. Dans sa maison près de l'océan. Il faut que vous vous calmiez ! Le divorce a été prononcé sans vous. Sans vous. Votre ex-mari a un très bon travail, un contrat à durée indéterminée. Vous avez un contrat, vous ? Il est chef magasinier dans une grande quincaillerie et il a une maison très confortable et suffisamment grande pour que chaque enfant ait sa chambre. Sans compter la proximité de l'école et du collège. Un très bon collège d'après mes informations.

Reine aurait pu dire : les enfants dormiront dans la même chambre de toute façon. Ça, moi, je vous le signe ! Comme je sais aussi que la quincaillerie appartient à la femme Atlantique comme la maison avec la terrasse et les coussins des chaises de jardin rayés jaune et blanc. Mais elle la boucle.

— Biarritz, c'est pas la porte à côté. Et si je vais m'installer là-bas, je n'aurai plus de travail. Mais je pourrai toujours voir Jorgen. Biarritz est sur sa route.

— Qui est Jorgen ?

— Personne.

— Il faut vraiment que nous rentrions. On ne peut pas rester sur le pas de la porte. J'ai encore des choses à vous dire.

Donc, il y a des choses qui peuvent se dire au grand air et d'autres pas. Jamais elle n'avait pensé qu'il y avait des révélations plus intérieures que d'autres. On peut apprendre qu'on a perdu ses enfants dehors. Que va-t-elle apprendre dedans ? En calant sur la béquille sa mobylette qu'elle n'a pas lâchée jusque-là, Reine a l'impression de marcher sans balancier sur un fil à une hauteur inimaginable. L'appréhension du vide s'engouffre dans son ventre.

Le silence de la maison sans les enfants est une torture. La télévision est éteinte. Aucune nouvelle de la guerre dans les pays lointains, aucun attentat des terroristes, aucun dessin animé. Igor ne lit pas non plus dans son coin tout près du chien. Mais le chien est resté. Tellement vieux, tellement malade qu'il n'aboie pas sur l'inconnue qui entre après Reine dans le désert de la maison.

— Pourquoi le juge m'a laissé le chien ? Je m'en fous du chien.

— Les animaux n'entrent pas dans ce genre de décision. L'inconnue au cartable est là pour la prévenir du jugement et des actes du jugement. Une fois à l'intérieur elle n'a plus aucune hésitation.

— Vous avez été déchue de vos droits maternels.

— Déchue ? Je ne comprends pas ce que ça veut dire. Enfin si, je comprends, mais je ne comprends pas que des gens puissent me faire ça. J'ai un travail. C'est ce que vous vouliez que j'ai, un travail. Je sais qui vous êtes.

Elle l'a reconnue, c'est son avocate.

— Vous n'avez répondu à aucun de mes courriers. Vous ne vous êtes pas présentée à l'audience. Je vous ai laissé un nombre incalculable de messages sur votre portable.

— Je n'écoute pas les messages, c'est pas un crime, tout de même !

— Votre mari a rassemblé des témoignages contre vous. Quant à votre prétendu travail aux établissements Chavarot, comme vous n'avez pas de contrat et que vous êtes payée le plus souvent en liquide, je suppose, ça n'existe pas. Vous travaillez dans l'illégalité.

— Mais je gagne de quoi élever mes enfants ! C'est tout ce qui compte, non ?

— Non, parce que c'est considéré comme du travail au noir.

— Vous êtes tordus, quand même !

— Peut-être. Et en plus votre employeur risque de gros ennuis.

— Des ennuis à M. Chavarot ? Manquerait plus que ça ! Foutez-lui la paix, c'est un homme âgé, il ne sait pas toutes ces choses.

— Peu importe. Ce n'est pas lui le problème. Pour le juge qui n'est là que pour appliquer la loi, c'est comme si vous n'aviez pas de travail puisque vous n'avez aucune preuve ni assurance que ce travail n'est pas saisonnier, par exemple. La loi, c'est la loi. Pas de contrat passe encore, mais pas de fiche de paye ! Et ce n'est pas le pire, on aurait pu s'arranger de tout ça et régulariser la situation mais c'est trop tard. Pourquoi n'avez-vous pas répondu à mes courriers ?

— C'est quoi le pire ?

— Des témoins ont accepté d'appuyer la requête de votre mari. Ils ont pris position pour lui, si vous préférez. Des personnes bienveillantes se sont aussi inquiétées pour vos enfants qui racontaient à l'école que vous viviez avec les morts et que vous leur parliez pour les emmener dans un autre monde. Et surtout plusieurs témoins ont affirmé...

— Quoi ?

— ... que vous vous prostituiez sur une aire d'autoroute avec des routiers étrangers et que c'est de cette activité que vous retiriez vos revenus.

Ce flot de mots ordinaires aux formes juridiques tombe autour d'elle comme des couteaux lancés à courte distance, prêts à trancher tous ses rêves et tous ses projets. Ce n'est pas seulement elle qui est atteinte, c'est la chair ordinairement impassible de son amour qui saigne. Mais ça ne se voit pas. L'avocate ne le voit pas.

Il faut répondre à ces choses qui la salissent. Il faut encore des mots pour se défendre. Des mots qu'elle ne connaît pas. Elle se tait, renifle, pense.

— Tout à l'heure quand je vous ai vue vous m'avez dit que j'avais un joli jardin.

— Oui, je reconnais que vous avez un très joli jardin.

— C'est vrai, c'est un joli jardin. Si vous l'aviez vu avant ! Et comment vous croyez qu'il est devenu aussi beau ?

L'avocate n'a pas répondu. Elle est partie. Foutu le camp. Elle n'avait plus rien à dire. Elle en avait assez dit. Reine a bien vu qu'elle avait un peu honte. Impossible de rester dans la maison sans les enfants.

Elle pousse sa mobylette jusqu'au village, le traverse, sans la démarrer pour ne pas se faire remarquer. Elle finit par arriver au cimetière. Où aller sinon ? Si Jorgen était là, elle serait allée sur le parking et elle serait partie en camion chercher ses enfants.

Jamais elle ne s'était rendue au cimetière à cette heure-ci. Entre chien et loup. C'est une expérience. Encore une. Le cri d'un rossignol vient égayer cette vision crépusculaire du paysage des morts. Elle sait que le rossignol gringotte ou quiritte. Comment savoir si ce soir il gringotte ou s'il quiritte ? Il s'en donne à cœur joie dans une longue conversation avec le soleil qui disparaît. Ça la reprend. Elle voudrait être un oiseau. Voler jusqu'à l'Atlantique.

À part le camion de Jorgen il n'y a pas d'autre lieu qui la rassure dans ce monde. Il est déjà en route vers l'Espagne et dans quelques heures il va, sans le savoir, frôler les rêves de ses enfants endormis dans la maison de la femme Atlantique. Igor, lui, doit tout comprendre. Il doit être malheureux. Il doit s'inquiéter pour elle. Il doit imaginer qu'elle est allée se réfugier au cimetière. Oui, j'y suis, sois tranquille, je vais bien avec les endormies. Ne t'inquiète pas, mon grand garçon. Mon petit homme. Seigneur, j'ai perdu mes enfants. Elle le répète depuis qu'elle est arrivée. J'ai perdu mes enfants.

Ses jambes ne la portent plus. Elle ne peut pas s'asseoir à sa machine à coudre. Elle s'assoit sur la tombe. Les morts se tiennent derrière elle et c'est sur eux qu'elle peut s'adosser. Sur qui d'autre ?

Pourquoi inventer tant d'histoires affreuses sur les cimetières, les fantômes et la mort ? Elles sont là, ses adorées, ses endormies, ses trésors. Qui d'autre pourrait la consoler de ce monde qui s'en prend à elle à coups de lois, de courriers, de faux témoignages ? Prostituée, maintenant ! Même pas foutus de dire les vrais mots. Le vrai mot, c'est « pute ». C'est comme ça qu'ils le pensent. Ce n'est pas le mot qui lui fait mal. D'ailleurs, ça ne lui fait pas vraiment mal. C'est une salissure qui ne salit qu'elle, mais surtout pas l'amour de Jorgen. Son Edmonde lui avait toujours parlé des « filles de joie ». C'est comme ça qu'elle les appelait. Des femmes joyeuses. Des femmes splendides parce que courageuses, premières victimes de ce monde qui n'engendre que pauvreté et ignorance. Ce sont les mots d'Edmonde qui était convaincue que dans le paradis communiste les femmes n'auraient plus à faire ces choses dégradantes. Elle rappelait régulièrement que les Évangiles, qu'elle connaissait par cœur depuis son enfance, étaient pleins de filles de joie que Jésus ne condamnait jamais. Même pas la première pierre ! Ça, elle l'a bien retenu, que Jésus était l'homme qui ne jetait pas de pierre aux femmes. Elle aurait pu dire à l'avocate qu'elle n'a jamais vendu son corps. Qu'elle n'y a même jamais pensé. Que les témoins se sont trompés. Que Jorgen n'est pas seulement un routier hollandais mais un grand peintre et qu'il va venir vivre près d'elle la semaine prochaine. Elle aurait pu dire toutes ces vérités mais l'autre ne l'aurait pas crue. Déjà qu'elle l'a prise pour une folle. Reine l'a bien vu dans son regard et dans sa façon de s'adresser à elle, comme à une petite fille sans cervelle. À quoi bon se défendre ? Le mal est fait. Et puis en se justifiant elle aurait eu bien trop peur d'abîmer la seule chose qui la tient en vie et l'empêche de se tuer : son amour sans limites pour Jorgen. Faut pas qu'elle se relâche. Faut pas non plus qu'à cause de son amour sa bonté reprenne le dessus. Elle se connaît quand elle ne croit plus en elle, elle risque de se faire avoir et d'accepter l'inacceptable. Il faut que la colère la tienne en éveil.

Déchue ? Qui peut déchoir une mère de ses droits ? Personne. Sauf ses enfants, s'ils le décident parce qu'ils ont été mal traités ou battus, mal nourris et abandonnés. Mais elle n'a maltraité aucun d'eux, ni battu. Ou alors deux ou trois fessées à Sacha quand il ne voulait pas se décrocher des images violentes de la télévision. Les images des terroristes surtout. Jamais au visage. Et puis la question de la nourriture est réglée depuis qu'elle travaille et elle ne les a jamais abandonnés. La seule chose qu'elle puisse se reprocher, c'est d'avoir pensé les tuer et se tuer après mais elle ne l'a pas fait. Et ça, personne ne peut le savoir, donc personne ne peut le lui reprocher. Elle se le reproche suffisamment elle-même. Pourquoi toujours s'en prendre à ses droits, ses droits au chômage d'abord, puis maintenant son droit à être mère. C'est même pas un droit, c'est un sacrement. Ils sont fous. C'est en elle que ses enfants ont grandi et continuent de grandir, sinon comment expliquer qu'elle ait tant grossi ? Elle a vu à la télévision des animaux capables de sauver leur progéniture. Elle se souvient de cette mère chimpanzé qui gardait son petit mort sur son ventre, refusant de l'abandonner à la forêt et aux bêtes sauvages. Certains mâles voulaient même lui arracher l'enfant pour le jeter dans la broussaille. Aucun homme ne peut être une mère. C'est impossible. C'est un mensonge. Les hommes n'ont rien à voir là-dedans. Ou alors ça voudrait dire qu'elle a fait des enfants pour qu'Olivier les offre à la femme Atlantique, la femme au ventre de pierre. C'est ça, ce qu'il faut qu'elle comprenne et qu'elle accepte ? Mais qui peut accepter ça ? Même la mère chimpanzé a préféré l'exclusion de son clan pour rester avec son enfant mort.

Toute l'horreur des contes où des enfants se perdent dans la forêt remonte en elle, ceux des livres en images qui se déplient. Reine mesure pour la première fois de sa vie dans le cimetière des endormies l'effroi qu'engendre toute disparition.

En morceaux devant la tombe, Reine commence à se débobiner. Elle ne pense plus à elle. C'est le petit carnet noir en moleskine qu'elle avait déposé entre les mains d'Edmonde dans son cercueil qui flotte dans son esprit, tous ces hommes assassinés parce qu'ils ne réclamaient qu'une chose : passer de la misère à la pauvreté. Elle pense aux orphelins qu'ils ont laissés. Que sont-ils devenus, ces enfants de martyrs ?

Ce soir les morts sont vraiment morts. Personne ne se manifeste, ni Edmonde, ni Madeleine, ni Marguerite, ni Olympe. Il y a bien une voix, lointaine et sourde. Une voix un peu floue, voilée. La voix de sa mère qu'elle n'a jamais entendue. À l'évidence, elle n'a plus que cette Anna qui l'a mise au monde pour faire écho à sa douleur. C'est étrange. C'est vrai aussi qu'en mourant elle a perdu un enfant. Elle sait ce que c'est, bien sûr ! C'est quand même un peu effrayant. Puis elle se laisse prendre dans la voix inconnue qui lui parle du dedans. On dirait sa voix. Elles ont la même voix toutes les deux. Pourquoi Edmonde ne lui a jamais dit qu'elle avait la même voix que sa mère ?

Jamais je ne t'aurais abandonnée, dit Anna, *même à Edmonde, si je n'étais pas morte. Quand on est vivante on ne laisse pas son enfant s'éloigner avec les autres. Il risque de s'effacer. Le monde est vaste, bien trop vaste pour ne pas les suivre à la trace. Moi de là où je suis, pas au ciel, ne sois pas bête, mais dans ta boîte de la Vierge-Annette, j'ai veillé sur toi. Qu'est-ce que tu crois, ma petite chérie ? J'en ai fait des choses impossibles et des choses impardonnables. Il faut faire des choses impossibles et des choses impardonnables sinon on ne fait rien dans la vie. Oui, je le reconnais, je me suis perdue quelquefois. Moi. Pas toi. Toi, je ne t'ai jamais perdue. Tu viens de moi et moi je viens d'Edmonde et Edmonde vient de Madeleine et Madeleine vient de Marguerite et Marguerite vient d'Olympe. Après on ne sait pas. Il n'y a plus de photographies. Mais je vais te dire qui était la mère de notre Olympe, elle s'appelait Lascaux. C'est la source. Dans les grottes. Au temps où les femmes et les hommes étaient encore un peu des bêtes. Dis-toi qu'il y a une femme au début du monde, inquiète, au regard de singe si profond qu'elle peut le poser sur l'horizon. Elle est assise sur un rocher, perdue dans le paysage qui protège les bêtes sauvages, comme tu es assise ce soir sur le bord de notre tombe. Personne ne sait à quoi cette première femme pensait ou rêvait. Je crois qu'elle nous imaginait. Nous. Toutes ses arrière-petites-filles, disséminées un peu partout sur la terre. Tu vois bien, toi et moi ne sommes plus mère et fille, nous sommes sœurs. Jorgen te dira encore mieux que moi qui était Lascaux. Bien sûr que je connais Jorgen. Il t'aime. Il te l'a dit. Crois-moi, il faut bien que ce soit vrai pour réussir à le dire dans une autre langue que la sienne. Tu le sais maintenant, tes enfants sont bien plus que tes enfants. Ils n'attendent rien d'autre que de pouvoir rêver à leur tour la suite du monde, à la seule condition que tu leur dises toutes ces choses. Jorgen t'aidera.*

Je vais retrouver mes enfants et je vais les ramener à la maison. Igor l'a dit un jour : entre la maison d'ici et la maison de l'océan il y a six cent quarante-deux kilomètres. C'était un jour où il avait eu besoin de mesurer la distance qui le séparait de son père. Reine n'a jamais su comment il pouvait faire ce genre de calcul, mais impossible de mettre la parole d'Igor en doute. Igor ne dit jamais des choses dont il n'est pas sûr. Combien de temps faut-il pour parcourir six cent quarante-deux kilomètres ? Peu importe le temps, elle les fera à mobylette et même à pied si la grosse bleue tombe en panne. C'est déjà arrivé. Après tout, ce ne sont que des paysages à traverser et Dieu sait qu'elle aime les paysages. Tout le reste n'est qu'une question d'essence. Jamais elle ne s'est aventurée plus loin que la ligne des montagnes. Biarritz, c'est au-delà de cette ligne et sûrement d'autres lignes d'horizon qu'il lui faudra franchir. Combien ? Elle ne sait pas. Combien de jours pour faire ce trajet ? Elle ne le sait pas non plus.

Jorgen pourrait l'accompagner en camion jusqu'à Biarritz, le trajet serait moins long et moins fatigant, mais il faudrait qu'elle attende une semaine son retour. Pourtant, elle ne veut rien d'autre que Jorgen qui lui parlerait de Lascaux et qui la peindrait jour et nuit. Mais elle n'est pas encore Hendrickje. Impossible d'attendre seule dans la maison sans Igor, sans Sacha, sans Sonia. Impossible aussi de rester assise sur cette tombe. Mais si elle passe une nuit seule dans la maison sans vie, elle pourra peut-être y passer toutes les autres. Elle a peur de ça. Je suis déchue. Je suis la femme qui n'a plus d'enfants. Igor l'attend. C'est sûr, il espère devant les vagues de l'Atlantique qu'elle viendra les chercher. Les enfants, eux, ne sont pas déchus. Anna a raison : une mère n'abandonne pas ses enfants. Même déchue.

Du voyage, elle ne se souvient de presque rien. Ce fut plus long que prévu par les nationales. Impossible de prendre l'autoroute et de se laisser porter par la ligne droite. Elle a bien essayé mais elle s'est vite fait rattraper et raccompagner sur les petites routes. Y a de quoi se perdre. C'est un labyrinthe. Elle ne sait pas combien de temps elle a roulé. Une femme, il y a deux jours, lui a proposé de venir prendre une douche chez elle. Ça lui a fait du bien. Mais elle ne s'est pas attardée. Pas dit un mot ni sur la raison, ni sur l'objectif de son voyage. Merci. C'est le seul mot qu'elle a prononcé depuis son départ. Un jour, elle a marché un certain nombre de kilomètres à pousser sa mobylette avant de trouver une station et refaire le plein. Elle a roulé des jours et des nuits sans voir le paysage, les villages et les villes qu'elle a traversés. Elle ne voyait que ses enfants au bout du chemin qui n'en finissait pas de reculer, comme dans les cauchemars.

C'est bleu. Des bleus différents. Jamais elle n'avait imaginé que la mer pouvait être orageuse. Voir l'océan Atlantique est une autre expérience. C'est ce que voient ses enfants. Ça la rassure de poser son regard là où les regards de ses enfants se posent. Ils ne sont plus très loin. Ils sont là dans la ville tout en pentes et en montées. Les arcades de la grande rue principale lui font penser à celles de la préfecture de Clermont. Clermont aussi est une ville tout en pentes et en montées. Alors ça ne lui fait pas peur. La pierre aussi est noire. Elle ne sait pas si c'est à cause des arcades et de la couleur des pierres ou parce que ses enfants sont cachés quelque part dans cette ville qu'elle n'est pas dépaysée. Elle les renifle. Elle est une bête qui cherche ses petits. Elle n'ose rien demander à personne. Elle ne peut pas dire : On m'a volé mes enfants, vous ne les auriez pas vus ? Ils sont trois. Le plus beau s'appelle Igor, Sacha le plus maigre a les cheveux ras et Sonia est toujours habillée en rose. Et puis Biarritz c'est aussi une ville que Jorgen traverse quand il se rend en Espagne. Elle pense à Jorgen. Le temps qu'elle fasse ce voyage, il est remonté en Hollande, a repris ses pinceaux et ne va plus tarder à arriver sur le parking. Peut-être qu'il n'arrive que demain ou après-demain. Elle ne sait plus les jours. Il y a des noms qu'elle ne comprend pas sur les panneaux de la ville : Le Braou. La Ranquine. L'Aguiléra. Et le quartier de la Négresse. Sans doute une Africaine, une mendiante sûrement, qui a marqué les esprits. La joie revient malgré elle. Ça vient du soleil, du bruit de l'Océan, des volets verts et des volets rouges. Comment retrouver la villa ? Elle est passée devant la grande quincaillerie. Elle est fermée. On est donc dimanche. Il va lui falloir crapahuter sur la colline en bordure du littoral. La maison de la femme Atlantique donne sur l'océan. Il faut être logique et méthodique. Impossible d'abandonner la mobylette. Elle risque de se la faire voler. Pas pour ce qu'elle vaut. Juste pour le plaisir de voler. Pas difficile à reconnaître la villa. C'est celle qui a une terrasse avec les coussins de jardin rayés jaune et blanc.

C'est presque une déception. La villa est moins belle qu'elle ne l'avait imaginé. La grille n'est même pas fermée. Reine est impressionnée par l'allée d'hortensias qui borde le chemin jusqu'à la maison. Elle ne s'est pas trompée. Elle entend les enfants. Elle reconnaît leurs voix. Ça rigole beaucoup. Ils jouent. Elle les entend mais elle ne les voit pas. Leurs cris résonnent et font silence. L'air devient métallique. Le bonheur n'est plus très loin. Il est même tout près.

Des grands bruits d'eau. Et l'eau qui éclabousse. Igor, Sacha et Sonia plongent dans la piscine. Ils crient de peur et de joie. Elle les entend s'éclabousser. Ils rient et leurs rires s'élèvent jusqu'au ciel bleu d'azur. Un ciel comme elle n'en a vu que dans les églises. Les enfants semblent, avec leurs cris stridents, baliser le chemin jusqu'à eux. C'est ce qu'elle croit.

Une femme les appelle. Il faut passer à table. Sacha, Sonia, Igor, à table ! C'est elle, d'habitude, qui dit ça. Entendre les prénoms de ses enfants dans la bouche de la femme Atlantique est une douleur. Elle n'entend pas Olivier. Pourquoi ce n'est pas lui qui les appelle pour manger ? Ça, elle pourrait le supporter. Olivier est avec eux dans la piscine. Elle s'enfouit dans une haie d'hortensias géants. Elle se sent toute petite, presque un insecte dans les fleurs. De sa cachette, elle peut les apercevoir. Olivier tient Sonia dans ses bras. La petite toute mouillée s'accroche à lui comme évanouie sur l'épaule de son père. Il fait mine de la sauver et de la ramener sur le bord de la piscine. Difficile de ne pas trouver cette image magnifique. Elle voit Sacha qui fait des gerbes d'eau autour de lui en frappant la surface de l'eau avec ses mains. Où est Igor ? Il doit être en train de lire quelque part puisque la femme Atlantique les appelait tous les trois. D'ailleurs elle recommence. Sacha, Igor, Sonia, à table ! Elle pourrait la tuer d'oser prononcer les noms de ses enfants dans sa bouche maquillée. Elle ne sait pas qu'il faut appeler Igor le premier. Elle ne sait pas qu'il est le véritable aîné, que sans lui les deux autres ne font rien. Elle se dit que Jorgen a raison de vouloir laisser ses enfants à sa femme.

Si Reine fait un pas de plus, elle risque d'être à découvert. Elle reste cachée dans les hortensias. Mais où est Igor ? À peine la femme Atlantique a-t-elle prononcé son nom qu'il surgit d'un bosquet et se jette dans la piscine comme une pierre. Son plongeon provoque les rires de Sonia qui vient de se réveiller sur l'épaule de son père. Sacha est englouti dans la vague qu'Igor a créée en plongeant. Olivier rit lui aussi. C'est la première fois qu'elle voit Igor s'amuser. Reine se dit qu'il n'a déjà plus besoin de se perdre dans les livres des cités perdues pour s'échapper.

La femme Atlantique les attend sur le bord avec une serviette de bain pour les sécher. Même la serviette est jaune ! Reine n'a pas l'habitude de voir ses enfants presque nus. Ils ne sont jamais allés se baigner avec elle, sauf pour prendre leur douche du soir, mais ce n'est pas pareil. Elle ne s'était pas rendu compte que le corps d'Igor était si sec et si musclé. Ni le corps de Sacha, plus trapu et déjà si robuste. Sacha danse sur le bord de la piscine en jouant d'une flûte imaginaire. Il est magnifique quand il ne pense pas à la guerre. Jamais elle n'aurait cru qu'il dansait aussi bien. Sonia, toujours dans les bras de son père, reprend sa pose de belle endormie. On dirait qu'elle ne veut rien d'autre. Elle apprend à être amoureuse.

C'est aussi beau à regarder qu'insupportable. Que pourrait-elle leur apporter de mieux que cette piscine, ce soleil, cet Océan, cette maison, ces coussins rayés jaune et blanc ? Elle aurait dû leur parler des ancêtres. Elle leur a toujours dit : je vais au cimetière. Ils ont sûrement cru qu'elle allait rendre visite aux morts. Elle ne leur a pas appris que les morts étaient des personnes qui ont vécu et ont tant de choses à nous dire. Il faudrait qu'elle leur raconte la machine à coudre et l'histoire de la couronne de perles. *À jamais*. Ce mot d'Olympe fait violemment écho tout d'un coup. Tout ce travail des ancêtres ! Toute cette volonté à remuer la terre et le ciel, à cultiver les champs et les cieux. Elle regrette de ne pas avoir apporté les photographies. Elle est peut-être partie trop vite. Elle aurait pu les mettre dans une des deux sacoches du porte-bagages. Elles y auraient tenu largement ! Elle voudrait leur parler maintenant du communisme aussi, du paradis des hommes sur la terre. Des rêves que les ancêtres ont faits. Leur dire que nous sommes faits de ces choses bien plus que d'os, de chair et de sang. Si seulement elle leur avait donné des racines, ils n'auraient pas supporté d'être déracinés.

Et puis il n'y a pas que le passé, il y a l'avenir qui n'est fait que de miracles puisqu'on ne sait pas de quoi il sera fait. Jorgen est un de ces miracles. Et celui-ci, elle sait de quoi il est fait. C'est la première chose qu'elle leur dira. Elle leur parlera de sa rencontre avec cet homme qui veut la peindre et voudra sûrement les peindre eux aussi. Pourquoi s'est-elle tue tout ce temps ? Pourquoi a-t-elle cru qu'elle devait garder secrète son histoire d'amour au lieu de la partager ? Pourquoi l'inquiétude de les nourrir, de les habiller, de leur permettre d'aller à l'école, de faire face aux assistantes sociales, au juge l'a-t-elle emporté sur toutes les choses essentielles ? C'est le plus grand reproche qu'elle peut se faire : ne pas avoir lu à ses enfants et à haute voix le testament des ancêtres et les promesses d'avenir.

Reine doit se l'avouer. Ils ont l'air heureux. La bête à trois têtes s'est reconstituée, sans nager ensemble. Sonia ne quitte pas les bras de son père. La femme Atlantique essuie Sacha qui, une fois sec, la serre dans ses bras pour la remercier du bain dans la piscine. Il n'a jamais serré sa mère dans ses bras comme il le fait maintenant avec une inconnue. Elle était plus dure avec lui parce qu'il lui faisait peur avec son désir d'armée et son goût immodéré pour les guerres, toutes les guerres, les armes et les terroristes. Elle ne savait pas qu'il dansait aussi bien. Sacha danseur, ce serait si bien. Le ciel commence à se couvrir. La femme Atlantique a eu raison de le sécher. Il aurait pu prendre froid. Il fait le fort mais il est le plus fragile des trois.

Igor nage encore dans la piscine. Il nage en surface comme un serpent pour ne pas faire de bruit. On dirait qu'il sent quelque chose. Son regard furète tout autour. Oui, il cherche quelque chose.

Alors, elle se sent autorisée à faire un pas dans le massif d'hortensias. Elle s'avance. Elle n'est plus insecte.

Il la voit. C'est une apparition. Sa mère dans les hortensias. Il est le seul à la voir. Il vérifie autour de lui. Non, personne d'autre ne l'a vue. Il se tient en face d'elle dans l'eau sans plus bouger. Il est heureux de la voir. L'expression sur son visage, comme le ciel de l'Océan, change en quelques secondes. Son sourire se fige. Son visage se ferme. Elle ne sait pas s'il pleure ou si ce sont des gouttes d'eau qui perlent de sa frange. Peut-être qu'il ne la reconnaît pas. Elle passe sa main dans ses cheveux. Les remettre en ordre. Elle est sale, dépeignée, ses vêtements sont mal mis et manquent de fraîcheur. Des jours sur la route. On est dimanche. Alors ça fait presque six jours qu'elle ne s'est pas arrangée. Elle ne s'est lavée qu'une seule fois chez cette femme juste après Limoges. Elle est partie si vite qu'elle n'a même pas pensé à prendre des vêtements de rechange. Elle ne croyait pas mettre aussi longtemps. Igor ne sait pas qu'elle est venue jusque-là sur sa mobylette. Elle n'aurait jamais dû se présenter dans cet état. Elle connaît le regard de son fils. Il a toujours été son miroir. C'est celui qu'il a toujours quand il sent monter la crise. Elle est folle. D'amour. Mais folle quand même. Et là, c'est vrai, elle ne ressemble plus à rien. Elle ne se voit pas vraiment, mais pour la première fois, elle sent sa déchéance. Jamais de sa vie elle n'a eu aussi honte d'être ce qu'elle est. C'est terrible pour un enfant de voir sa mère déchue.

Elle sait bien qu'on ne peut rien contre la joie des enfants. C'est comme la joie des oiseaux. Depuis qu'il l'a vue, Igor a cessé de rire. Il faut qu'elle le rassure absolument. Elle lui fait juste un signe. Et le mouvement de sa main fait légèrement bouger les hortensias alors qu'il n'y a pas un souffle d'air. Personne ne voit les grosses fleurs fuchsia qui bougent. Elle doit lui faire comprendre de ne pas bouger. Ne rien dire. Tout va bien. Elle ne va pas rester. Lui sourire surtout. Qu'il pense que tout va bien. Surtout qu'il pense ça. Mon amour. Il faut qu'il pense qu'elle est venue les voir. Juste ça. En passant. Et Reine dans ce langage des signes qu'elle invente pour communiquer une dernière fois avec son fils, le doigt sur sa bouche, s'enfonce dans les massifs jusqu'à disparaître. Elle n'a été qu'une apparition pour Igor. Un mirage. Il sait ce que c'est un mirage. Il lui avait expliqué le phénomène. La femme Atlantique appelle encore une fois Igor. Igor ! C'est le dernier mot qu'elle entend. Puis la dernière phrase qui la transperce : *Igor, tu pourras retourner dans la piscine autant que tu veux, mais viens déjeuner*. Jamais elle n'aurait pu dire une phrase pareille à ses enfants. Tu pourras retourner dans la piscine autant que tu veux. Autant que tu veux…

Elle s'est réfugiée sur la plage, tout près du casino et du manège ancien pour enfants avec les chevaux de bois qui montent et qui descendent. C'est une image insoutenable, ce manège qui tourne à vide. Elle est à nouveau toute débobinée. En morceaux. C'est comme si depuis tout ce temps elle n'avait pas quitté la fenêtre après avoir passé la nuit à se demander si elle devait tuer ses enfants et se tuer après. C'est comme si elle venait de ranger le couteau dans le tiroir de la table de la cuisine. Cette fois-ci, elle les a perdus à jamais. Pire encore. C'est comme si elle venait de les voir au paradis.

De là où elle se trouve elle entend les machines à sous du casino. Elle n'aime pas ce bruit qui lui rappelle la folie de l'argent, le poison de toute sa vie de mère. Elle remonte la plage, plus loin que l'Hôtel du Palais qu'elle prend pour un château. Enfin, elle trouve un rocher au pied des jardins qui descendent du phare jusqu'à l'Océan. Seule. Elle pourrait rester assise là jusqu'à ce que le manque de nourriture la tue. Il n'y a pas de grottes ici pour se réfugier. L'air du large la lave et les gouttes d'eau projetées par les vagues qui s'échouent tout en bas lui brûlent la peau. Elle ne connaît rien de ce paysage qui semble avoir été inventé par la femme Atlantique. Jamais elle ne pourrait vivre ici. Elle n'aime pas l'Océan. C'est comme une bête. Il lui faut des forêts, des rivières, des collines, des prés, des champs, des bêtes qui ne nagent pas, des bêtes qui vivent sur la terre, des paysans et des cimetières. Ici elle a même l'impression que le mot « paysan » n'existe pas. C'est peut-être ça, le paradis. Un lieu où les gens ont l'air de se promener, de nager, de jouer. Rien d'autre. Même la quincaillerie semble factice. Elle a perdu. Jamais elle n'aurait pu inventer un lieu pareil pour ses enfants. C'est comme si Olivier avait tenu ses promesses et qu'au lieu de fabriquer une salle de bains par enfant il leur avait fabriqué de ses mains une ville tout entière. Une ville de toute beauté.

Perdre ses enfants. C'est comme les avoir tués. Elle ne les verra plus. Ils ne vivront plus jamais avec elle. Ils finiront par l'oublier comme elle a si longtemps oublié sa mère. Anna aussi a été déchue, étranglée par la main de Dieu. Déchue. Plus aucun droit sur eux. Quoi qu'elle fasse. Elle n'aura même pas la permission de les voir, de les toucher, de les embrasser, de leur faire peur, de les faire rire, de les nourrir, de les laver. Elle ne pourra jamais leur raconter les ancêtres. Elle devra toujours se tenir à distance. Que vont-ils devenir ? Ça ne la regarde plus. C'est ce que la loi a dit.

Biarritz où ses enfants ont disparu est devenu un au-delà.

Elle est entièrement débobinée sur le rocher. Elle attend que l'Océan l'attrape. Elle n'est pas loin la bête à trois têtes. Elle les entend rire dans son dos, tout près. Pute. Déchue. Enfants. Amour. Aucun mot ne vient à son secours. Aucun mot ne marche avec les autres. Elle n'arrive même plus à faire des phrases. Quelque chose du langage ordinaire s'est coupé en elle. Elle essaie alors de prononcer les mots les uns après les autres. En faire une récitation. Igor. Sacha. Sonia. Perdus. Amour. Ventre. Sacha. Sonia. Igor. Piscine. Ancêtres. Edmonde. Paradis. Océan. Vagues. Perdue. Igor. Sourire. Miroir. Désolée. Déchue. Pute. Morts. Ce sont les seuls mots qui tournent dans sa tête dans des ordres différents jusqu'à la venue du mot « Jorgen ».

Jorgen. C'est le seul mot qui la fait encore respirer. Il vient avec le crachin des vagues que le vent rabat sur son visage pour la rafraîchir. Elle répète le nom de Jorgen les yeux fermés jusqu'à le faire apparaître devant elle. Jorgen. Jorgen. Jorgen. Et à partir du nom de Jorgen des phrases se reforment. Toi, tu connais la vérité. Tu ne vas pas tarder à arriver sur le parking, mon amour. Tu seras le peintre et je serai l'amour du peintre. Pour toujours. Mardi. Deux jours seulement pour te rejoindre. C'est impossible. Il me faut plus de temps. Si tu ne me vois pas mardi, il faut que tu m'attendes. Elle se demande si une femme qui a tué ses enfants... Oui, tués. Perdus. Volés. Disparus. C'est la même chose. Elle se demande si une femme qui a perdu ses enfants par sa faute, par sa négligence... Impossible de finir sa phrase. Oui, elle a été négligente. Elle aurait dû répondre aux lettres de l'avocate. Elle reprend le fil de sa pensée. Elle se demande si une femme qui a perdu ses enfants a droit au bonheur ailleurs. Loin de ses enfants. Sans ses enfants.

Qui peut répondre à cette question ? Elle convoque l'assemblée du ciel. Jésus. La Vierge Marie. Les saints. Mais ils sont aussi muets que les ancêtres dans leur tombe au cimetière. Elle se dit que Shirley Bassey la comprendrait. Mais elle ne sait pas où elle habite, sûrement en

Amérique. Elle convoque Thanatos. Hypnos. La nuit. Et même M. Chavarot qui doit se demander pourquoi elle a disparu. Huan aussi, sur son dragon d'or, qui doit être arrivée dans la baie d'Along. Et le marin en lamé bleu et tous les autres. Personne ne détient la réponse. Elle est fatiguée de devoir depuis quelque temps trouver les réponses toute seule. Il n'y a que la mobylette qui semble prête à repartir. C'est la seule réponse.

Elle pense à Ella, la femme du Nord. Elle se dit qu'elle a plus de chance parce qu'elle gardera ses enfants, qu'elle les aura toujours auprès d'elle. Il faut qu'elle fasse jurer à Jorgen qu'il n'enlèvera jamais ses enfants à sa femme. Ça, elle doit le dire absolument à Jorgen. Dès qu'elle le verra. Jure-moi que tu n'enlèveras jamais tes enfants à Ella. S'il ne le jure pas elle le quittera. Si la femme Atlantique avait été une mère, elle n'aurait jamais laissé faire Olivier. Six cent quarante-deux kilomètres la séparent maintenant de l'homme qui lui a promis de recommencer une vie avec elle. Non. De commencer une vie. Comme la peinture. Commencer.

Elle calcule. À raison de deux cents kilomètres par jour en refaisant le plein plusieurs fois, elle pourra y être au plus tard mercredi. Jorgen l'attendra, c'est sûr. Il attendra bien un jour. Et peut-être que si elle ne dort pas. Si elle n'arrête pas de rouler. Elle pourra arriver mardi à l'heure dite. Il ne faut pas qu'elle dorme, c'est tout, elle qui aime tant dormir. Et dès qu'elle se jettera dans les bras de Jorgen elle deviendra Hendrickje qui n'avait pas d'enfants. Elle n'a plus d'enfants. Jorgen n'a plus d'enfants. Ils iront en Hollande voir les enfants de Jorgen. Ils iront à Biarritz voir ses enfants. Mais non, elle ne pourra pas. Déchue. Ça veut dire qu'elle est interdite d'Igor, interdite de Sacha, interdite de Sonia. Elle dira qu'elle a menti, qu'elle n'a jamais eu d'enfants. Non, elle lui dira la vérité. Elle lui dira qu'elle a été déchue. Et il fera son portrait. Il fera le portrait de la mère déchue. Elle sera aussi perdue que Bethsabée dans la peinture. Une Bethsabée déchue mais pas morte ? Impossible d'oublier ses enfants. Et un jour Igor verra les tableaux. Jorgen et elle ne resteront pas sur le parking. Ils pourront vivre n'importe où dans le camion. Elle voudrait tout oublier pour que le commencement soit un vrai commencement. Elle n'a plus qu'à suivre la route sur sa mobylette.

Lundi soir. Elle arrive près de Périgueux sans avoir dormi depuis dimanche. Elle devrait être heureuse de cet exploit mais plus elle s'éloigne de l'au-delà, plus la crise monte en elle. Elle commence à se défaire, à se disloquer de l'intérieur. Elle pleure parce qu'elle n'aime pas ce qu'elle ressent dans son ventre qui se vide de ses enfants, au fur et à mesure qu'elle s'éloigne d'eux et se rapproche de Jorgen. *This is My Life.* Non, ce n'est pas sa vie et la chanteuse anglaise ne pourra plus jamais venir à son secours. Elle pleure parce que la fatigue l'empêche de retrouver la raison raisonnable. Ses pensées, travaillées par la fatigue, ne sont plus que des rêves d'ancêtres. Presque rien, presque tout. Un jardin à cultiver, Jorgen qui peint, des bêtes et de hauts murs avec en elle comme un trésor, cette furieuse envie de changer le monde. Ou changer de monde. Elle ne sait plus. Jamais elle n'a autant voulu tout réinventer que sur sa mobylette. Un paradis. Celui de son Edmonde. C'est atteignable avec Jorgen. À condition qu'elle parvienne à oublier les enfants. Même s'ils sont heureux dans l'au-delà de la femme Atlantique, elle ne pourra jamais supporter qu'ils soient heureux sans elle ou qu'elle n'ait pas su les rendre heureux. Elle y était presque arrivée. Elle sait qu'on peut vivre sans sa mère. Elle a vécu sans Anna, quasiment sans son souvenir. Mais elle ne l'a pas connue. Igor la connaît. Sacha la connaît. Sonia la connaît. Pourquoi les choses doivent-elles être si difficiles ? Toujours. Tout le temps. Pourquoi je n'arrive pas à faire quelque chose de ma vie sans mettre les autres en danger ? Pourquoi je n'arrive pas à être comme Olympe qui ne demandait rien d'autre que de pouvoir payer une couronne de perles et de faire écrire « À jamais » au centre des fleurs artificielles ? Pourquoi je n'arrive pas à avoir, comme Madeleine, qu'un seul objectif, pouvoir acheter une machine à coudre ? Pourquoi je n'arrive pas à imaginer le paradis communiste, à le vouloir aussi ardemment que mon Edmonde ? Pourquoi je ne me contente pas de vivre d'amour et de drogues paradisiaques comme ma mère ? Toutes ces femmes n'ont fait que tendre vers un seul point, toujours le même, la joie d'avoir accompli un rêve. Un seul. Elles ont réussi ce prodige de donner au bonheur des formes précises : une couronne, une machine à coudre, le paradis, même artificiel, d'Anna. Pourquoi cette modestie ne lui suffit pas ? Pourquoi la modestie devrait-elle toujours être la vertu des pauvres ? C'est la première fois que le mot « pauvre » vient dans ses pensées. C'est l'aveu le plus difficile. Se dire « je suis pauvre ». Je n'ai rien. Je n'avais rien d'autre que mes enfants et je les ai perdus. Edmonde a échoué, un peu comme elle. Sans perdre son enfant. Sans jamais baisser la garde avant la chute de ce Mur. Elle, elle avait compris qu'il fallait transformer le monde de fond en comble et que, sans cette métamorphose totale, il n'y aurait pas de bonheur possible pour les enfants de ceux qui reposent dans le carnet noir en moleskine. Il faudrait que les pauvres se contentent de la joie d'être en vie. C'est maintenant que le combat devrait commencer pour Reine, mais elle n'en a plus le désir. Elle doit se résoudre. Elle est plus pauvre que jamais. Je suis une mendiante que personne ne voit. Je suis la Négresse qui vole la nuit pour ne pas être vue. Elle a tout oublié. Les tissanderies, les morts qu'elle prépare si bien, la couture, la boîte de la Vierge-Annette, les ancêtres, M. Chavarot, les mineurs et les cheminots assassinés, Shirley Bassey. Même Edmonde a disparu. Pourtant *This is My Life* s'enclenche à nouveau dans sa tête. La voix de la chanteuse insiste et la soulève, sa voix de Tiger Bay, le quartier populaire de Cardiff que la star honore régulièrement. À force de pédaler sur sa mobylette, la route n'en finit plus. Il n'y a plus de bitume, il n'y a plus d'horizon. Si ça continue elle va s'envoler dans le ciel comme les pauvres de *Miracle à Milan*. C'est quoi sa vie à elle ? Il ne lui reste que Jorgen dans la tête. Et le sourire de Jorgen pour éclairer cette nuit. C'est rien. C'est tout.

Il faudra quand même que je prenne le temps de passer par la maison, d'arroser le jardin qui doit en avoir besoin et de me refaire une beauté. Je ne peux pas arriver devant Jorgen aussi sale et aussi dépeignée. Je ne veux pas troubler le regard du peintre comme j'ai troublé le regard d'Igor. Igor est devenu comme un trou dans son cœur. Il ne dira rien aux autres. Il ne dira pas qu'il a vu leur mère apparaître dans les hortensias. Elle regrette de s'être montrée à lui dans cet état. Quelle image il gardera d'elle, elle qui prend tant de soin d'offrir aux autres, à ceux qui restent en vie, la plus belle image possible de ceux qui ne sont plus ?

Il faut qu'elle se calme. Qu'elle respire. Elle se voit dans le camion avec Jorgen qui aurait peint le tableau de la bête à trois têtes. C'est l'image qu'elle devrait broder et emporter dans sa tombe.

Elle a de plus en plus de mal à supporter les phares des voitures qui l'éblouissent. Il faut à chaque fois qu'elle ferme les yeux. C'est le manque de sommeil aussi. Mais elle ne peut pas s'arrêter. Elle doit continuer. Ce n'est plus très loin. Il faut qu'elle atteigne le parking où Jorgen l'attend et qu'elle soit pour lui et « à jamais » la femme à la mobylette.

Le camion est là. Jorgen est là. Elle le voit. Elle le désire. Elle s'est faite belle. Jamais elle n'a été aussi élégante. Son corps léger, elle vole jusqu'à lui. Il dort et ne semble ni la voir, ni l'entendre. Elle ne veut pas le réveiller. Il a dû rouler toute la nuit aussi. Elle attendra qu'il se réveille et qu'il la voie. Il est très tôt. Elle a tout le temps maintenant. Elle attend. Le parking lui semble plus petit. Le ciel plus vaste. Elle est impressionnée par le silence. Elle connaît ce silence. Elle l'a déjà entendu. C'est floconneux. Sourd. C'est le même silence que celui qu'elle avait entendu après avoir passé cette terrible nuit blanche. Un silence de tombe. *Tout finit toujours dans l'absence et le silence absolu du monde.* Il faudra qu'elle dise ça à Jorgen quand il se réveillera. Il saura sûrement lui expliquer cette phrase qui lui fait peur. Ce n'est pas qu'elle n'arrive pas à ouvrir la porte du camion, elle n'y pense pas.

Elle crie. Jure-moi que tu n'enlèveras pas les enfants à Ella. Jure-le-moi. Il ne répond pas.

Ce n'est pas normal. Elle devrait ouvrir la porte et grimper dans la cabine pour le réveiller dans un baiser. Lui dire : je suis Hendrickje et tu es Rembrandt. Si tu savais le chemin que j'ai fait pour te retrouver. Je ne suis plus fatiguée. Elle est là sans être là. C'est étrange. Elle ne sait plus ce qu'elle fait là sur ce parking. Le parking est désert. Les arbres ne bougent pas. Les oiseaux ne chantent pas. Et elle, elle n'est pas vraiment là.

Ce n'est qu'une image. La dernière image qu'elle a rêvée avant de s'endormir sur la mobylette quand l'engin bleu a échappé à son contrôle, quand son corps s'est mis à voler au-dessus de la route pour s'écraser sous les roues d'une voiture qui arrivait en sens inverse. Elle n'est plus là. Son corps brisé est encore de ce monde, presque intact, à quelques kilomètres du parking. « Saint-Pierre-Roche » est le dernier nom qu'elle a vu écrit sur un panneau. Tout près de là où ses ancêtres sont nées. Personne ne saura jamais qu'une femme à la mobylette a quitté la vie sans un bruit et sans un cri. Hypnos et Thanatos l'ont emportée. Les deux enfants de la nuit ont dû trouver son âme un peu plus lourde qu'une âme ordinaire.

Reine s'efface et s'efface avec elle l'image de Jorgen qui l'attend sur le parking.

À la recherche du sixième continent
de Lamartine à Ellis Island

relation de voyage

« Nous rêvons de voyager à travers l'univers, mais l'univers n'est-il pas en nous ? » Cette phrase de Novalis, que j'ai longtemps gardée écrite sur un post-it dans ma chambre de bonne quand j'étais plus jeune, m'a souvent servi d'argument pour ne pas bouger. Puis il y a eu, des années plus tard, ce voyage à New York. Inattendu. Et au cours duquel j'ai aussi découvert que, si l'univers est en nous, nous sommes aussi tout entiers dans l'univers. Le voyage ne nous coupe pas de nous-mêmes, de nos racines et de notre histoire. Au contraire, nous voyageons avec notre monde dans le sang, dans les nerfs et dans le cœur. La peur de l'inconnu, sûrement, nous oblige à nous raccrocher à tout ce que nous connaissons et à tout ce qui nous a faits. Voyager le plus loin possible m'est apparu, après ce premier voyage au-delà de l'océan, être la meilleure façon de regarder à l'intérieur de soi.

Avant le voyage

Au mois de mai nous serons à New York, me dit Isabelle qui avait projeté ce voyage pour mes quarante ans. Je préparais pour le conservatoire d'écriture audiovisuelle trois cours qui avaient pour objet de démontrer la filiation entre l'écriture des scénarios de séries et celle des grands romans que l'on qualifie souvent de « populaires » de façon assez méprisante comme toujours lorsque l'on évoque d'une manière ou d'une autre, sous une forme ou une autre, le peuple. J'étais sur le point de trouver la source, l'acte fondateur, de ce genre littéraire qui n'existait pas avant le XIXe siècle. J'avais procédé comme pour l'écriture des romans policiers en faisant le chemin à l'envers, reconstituant une espèce d'arbre généalogique. Celui qui avait ouvert la voie à toute cette nouvelle littérature était, à ma grande surprise, le poète du romantisme français : Lamartine, et dans le même temps je comprenais que ce que je croyais être le roman populaire était surtout le roman du peuple, pour le peuple.

Alphonse de Lamartine

Mon étonnement était absurde. Je savais que le poète s'était sérieusement engagé en politique, d'abord député pendant vingt ans puis ministre. Comment avais-je pu l'oublier, d'autant que je possédais en héritage un petit éventail en papier sur lequel étaient imprimés, dans des médaillons, les visages des personnalités de ce gouvernement de la IIe République française auquel il a participé ?

De lui, on se souvient de deux poèmes : *Le Lac* et *La Maison du berger*. Plus personne ne sait qu'il fut aussi un essayiste/pédagogue lumineux avec ses *Cours familiers de littérature* qui comptent une quinzaine de volumes, et surtout un solide romancier. Les spécialistes de Lamartine font peu de cas de ce passage au roman qu'ils jugent souvent anecdotique dans son œuvre, pour ne pas dire insignifiant. Pourtant, ce passage du poème classique au roman, de la versification à la prose est à mettre sur le compte d'un saut encore plus spectaculaire, plus politique, celui qui l'a conduit à renoncer à la monarchie en faveur de la République.

Ce premier roman, *Geneviève ou l'histoire d'une servante*, est une suite à *Jocelyn*, roman/poème écrit en vers que j'avais trouvé avec l'éventail en papier dans la minuscule bibliothèque de ma grand-mère communiste. Et c'est bien avec ce roman que Lamartine invente ce nouveau genre littéraire, qui n'est pas considéré par lui comme un roman populaire, mais comme le roman du peuple. Et la nuance est de taille.

Paru en 1850, ce roman a ouvert la voie à toute la grande littérature naturaliste du XIXe. Sans lui, probablement pas de *Misérables* (1862), pas d'*Un cœur simple* (1877), pas de *Germinal* (1884) non plus.

La préface de Lamartine à son propre roman comporte une soixantaine de pages qui constituent un véritable manifeste littéraire. Manifeste qui trouvera son apogée presque un siècle plus tard, dans l'entre-deux-guerres, avec le mouvement de « littérature prolétarienne » d'Henri Poulaille et autour duquel se sont retrouvés des écrivains tels que Marguerite Audoux et Eugène Dabit.

Avant de se transformer en manifeste virulent, la préface s'articule autour d'une histoire simple. Celle d'une petite couturière d'Aix-en-Provence, du prénom de Reine, qui a fait le voyage jusqu'à Marseille pour saluer le poète qu'elle considère comme un « maître », celui qui rend sa vie plus grande. « Elle était vêtue en journalière de peu d'aisance ou de peu de luxe ; une robe d'indienne rayée, déteinte et fanée. » La jeune fille l'attend dans l'orangerie qui surplombe la mer. Le soleil se couche quand le poète revenu de sa promenade lui apparaît. Lamartine s'installe sur une caisse d'oranger pour l'écouter et accueillir son compliment. Elle parle sans crainte et dit n'avoir pu résister à l'idée de rencontrer celui dont les textes remplissent sa vie et brisent sa solitude de jeune femme célibataire. « Quand on vit seule comme moi, dit Reine, on a quelquefois besoin de se parler tout haut pour se convaincre qu'on vit. Oui, j'aime lire, Monsieur, surtout des vers qui chantent bien dans l'oreille ou qui pleurent bien dans les yeux. »

Le poète est flatté mais suppose qu'elle lit autre chose que des poèmes. Il sait que les femmes aiment lire des romans. Reine avoue très franchement qu'elle n'en lit jamais, pour une raison simple : aucun ne s'adresse à elle, aucun ne parle d'elle ou de ses semblables. Les romans, affirme-t-elle, sont bien trop éloignés de la réalité des gens ordinaires ; ils ne parlent que de rois, de princes, de batailles, d'aristocrates et plus récemment de bourgeois ou de grands bourgeois, de banquiers ou de généraux. D'après elle, il n'existe aucun roman sur des gens modestes, sinon elle le lirait immédiatement. En revanche, explique-t-elle, dans la poésie, toute la poésie sans exception, elle trouve sans cesse des échos aux mouvements intérieurs de ses pensées ou de son cœur.

Surpris par une telle déclaration, Lamartine commence à esquisser une opposition quand, à son grand étonnement, son élégante épouse anglaise fait alliance avec Reine. Madame Lamartine va plus loin que la petite couturière et associe à ce grand manque l'absence de vraies figures de femmes dans les romans, qui pour la plupart sont réduites à leurs fonctions de mères ou de maîtresses. L'épouse du poète fait alors le constat (que fera plus tard Pierre Bourdieu) que la place des femmes dans la société, comme dans la littérature, est équivalente à celle des classes opprimées.

Lamartine conteste ce point de vue et tente de faire la démonstration du contraire. Il refait donc un tour complet de l'histoire littéraire d'Homère jusqu'à Balzac en passant par *La Princesse de Clèves* qui est princesse, *La Nouvelle Héloïse* qui fait de Julie une aristocrate et de *Paul et Virginie* dont l'héroïne est fille de général. À son grand étonnement, il est bien obligé de constater qu'effectivement les personnages du petit peuple ne sont, dans le meilleur des cas, que des personnages secondaires. La plupart serviteurs, servantes, métayers ou soldats. Même Ninon, la servante des Grandet, qui est un des plus beaux personnages dans la cosmogonie balzacienne, n'est qu'un personnage tout à fait secondaire.

Convaincu qu'avec l'apprentissage de la lecture qui se développe dans le peuple, grâce à l'école, et dont il fut un des plus ardents artisans, il est temps, annonce Lamartine, d'écrire un nouveau genre de romans, plus proches de tous ces nouveaux lecteurs potentiels, si l'on ne veut pas que ce même peuple finisse par rejeter la littérature dans son ensemble ou par l'enfermer définitivement dans un registre réservé à l'élite et à la bourgeoisie. L'intérêt est double : cultiver le peuple tout en s'adressant à lui et garantir une pérennité à la littérature. Lamartine s'exclame alors tel un tribun dans sa préface : « De même que les droits politiques prendront leur niveau par les institutions libérales, électorales, constitutionnelles, républicaines ; de même les intelligences prendront aussi leur niveau par l'éducation, l'instruction et la littérature populaire. » À souligner la distinction que l'on faisait encore entre éducation et instruction.

Il décide donc d'écrire un roman tout à la gloire d'une servante qu'il fait ainsi sortir de sa position de personnage secondaire. *Geneviève ou l'histoire d'une servante* sera suivi un an plus tard par *Le Tailleur de pierre de Saint-Point*.

Objectif de ce roman : relayer la parole du peuple, de la manière la plus puissante pour la faire apparaître dans la conscience politique des hommes de son temps. Il me semblait que c'était aussi un des rôles essentiels de la télévision.

Je partais donc pour New York avec ces pensées et le livre de Georges Perec sur Ellis Island que j'avais déjà lu mais que je me proposais de relire une fois Ellis Island visité. Histoire de comparer mes impressions avec les siennes. Perec avait tout fait avant moi.

Voilà pour mes bagages. Seulement, avec moi, rien n'est simple. Et un voyage hors les frontières de ma langue est encore moins simple. Je n'ai jamais eu le moindre désir de découvrir d'autres mondes, d'autres façons de vivre en dehors des découvertes que j'ai pu faire dans les livres d'écrivains étrangers et traduits, et pas nécessairement les écrivains américains contemporains. J'en étais encore à Emily Dickinson, Edgar Allan Poe, Jack Kerouac, Henry James, Henry Miller, le théâtre de Tennessee Williams et d'Eugene O'Neill ou Carson McCullers, Dorothy Parker et Truman Capote pour les plus récents, c'est dire ! Il faudrait d'ailleurs que je les relise. C'est toujours impressionnant de remarquer – du moins dans mon cas – le peu de chose que l'on retient des livres lus et notre incapacité à reconnaître, à repérer, tout ce que ces mêmes livres ont déposé en nous comme sédiments. C'est à la fois un mystère et un miracle. Pourvu que ces livres, une fois que je serai mort, remontent à la surface et viennent de l'intérieur tatouer ma peau de parchemin bien plus que la nicotine des cigarettes.

Rien donc ne me préparait au voyage et pourtant tout me préparait à ce que j'allais y découvrir.

J'ai été élevé par mes grands-parents, ouvriers et communistes, dans la grande maison au centre de la place du « Marché au beurre » de Vic-le-Comte, au cœur de ce qui avait été l'ancien château. Ni mon grand-père, ni ma grand-mère ne conduisaient. Et le monde s'est vite limité à cette place ronde et plate mais suffisamment habitée de figures singulières pour me faire entrevoir d'autres vies, d'autres mondes. Mon enfance fut donc celle d'un enfant pauvre certes, mais qui vivait dans un palais et qui ne rêvait pas de voyage.

Souvent ma grand-mère, ma grosse Rose aux yeux bleus, m'emmenait avec elle, surtout en hiver au moment des pissenlits dont elle raffolait, histoire aussi de me faire sortir de la place. Je l'aurais suivie n'importe où, d'ailleurs. Elle aimait l'hiver parce qu'elle trouvait que le regard allait plus loin. Regarde autour de toi. Tourne et regarde autour de toi le plus loin possible, jusqu'à l'horizon. En Auvergne, l'horizon n'est pas plat, il est écorché et volcanique. J'étais donc au centre du cercle de ces volcans qui avaient présidé à l'origine du monde. Tu vois, ton pays c'est ça. Comme si elle avait pressenti qu'un jour je partirai. Tu pourras faire ce que tu voudras dans ta vie, même aller très loin, tu n'auras jamais d'autre pays. Elle disait ces choses uniquement quand nous étions seuls, comme si elle me révélait un secret. Ensuite, elle n'en parlait plus jamais, surtout pas devant les autres. Il faut dire que mon histoire avec elle est une longue et incroyable histoire clandestine sur laquelle je reviendrai un jour, j'espère. Voilà, je n'aurai jamais d'autre pays que celui-là. Et quand je repense à ce temps de mon enfance, j'en arrive à me dire que le seul pays dans lequel je me reconnais vraiment est le corps de cette femme puissante, sauvage et si instruite qui est devenue le monde entier. C'est ce qui m'a toujours tenu attaché à une table et m'a obligé à écrire, non pour réaliser son rêve (même si ce fut son rêve que je devienne écrivain) mais pour rester près d'elle, la folle des romans nocturnes : elle ne lisait que la nuit ; le jour, elle était une femme ordinaire qui faisait du repassage et des ménages pour compléter sa misérable retraite et m'élever.

Adolescent, la seule fois où je suis parti camper avec mes amis dans les calanques de Cassis, j'avais d'abord fait un inventaire de ma chambre pour savoir de quoi j'étais capable de me délester pour deux mois. Rien ! J'emportai donc toute ma chambre : une valise de mes livres, une valise de mes objets, une valise de vêtements, les photographies de Jorge Donn, Georges Brassens, Jean Marais, Maria Casarès et Léo Ferré, mes bougies, mon carton à dessins, mes peintures, de l'encens. À tout cela s'est ajoutée une tente pliée sur un sac à dos rempli de victuailles et qui pesait déjà une tonne sur mes épaules. Pas difficile d'imaginer ce que j'ai pu souffrir en escaladant ces rochers jusqu'au sommet. Patrice (qui connaissait bien les lieux) voyageait léger. Les autres aussi. Ils avaient depuis longtemps fait l'expérience du camping sauvage et m'ont laissé porter tout mon barda. Après tout, ils avaient raison : personne ne peut porter la vie de quelqu'un d'autre. Et j'ai porté seul les reliques de mon petit monde, plus encombrantes que lourdes, jusqu'au sommet de la calanque. C'est sûrement là que j'ai compris que je pouvais trimballer ma vie partout avec moi et qu'il en était de même sûrement pour les personnages de roman.

J'ai dit que je n'avais jamais rêvé de voyage, c'est vrai. Pourtant je suis parti très tôt de Vic-le-Comte, le lendemain de la mort de mon grand-père, le héros de Verdun et le grand homme silencieux de ma vie. La vérité est que je me suis enfui. Je suis devenu un émigré de l'intérieur, comme on dit aujourd'hui. L'exil parisien fut une torture, surtout la première année, avant que je commence à me défaire de mes liens, avant que je commence à trouver toutes sortes de raisons à cette rupture nécessaire entre mes origines sociales et mes ambitions. Entre eux et moi. Entre mes aimés et moi. Entre mes monstres et moi. Heureusement, je n'avais pas d'image de moi, et je pensais que l'on ne me voyait pas. J'ai longtemps eu cette impression, peut-être même encore aujourd'hui. Je crois même que j'ai grossi ces dernières années pour m'apparaître jusqu'à me dégoûter.

L'aventure

New York fut donc une aventure. Je n'étais pas sûr du mot en l'écrivant et après vérification dans le *Larousse,* aventure signifie : « Entreprise comportant des difficultés, une grande part d'inconnu, parfois des aspects extraordinaires, à laquelle participent une ou plusieurs personnes. » Quelques mots dans lesquels naviguent Christophe Colomb, Marco Polo, Amerigo Vespucci, les chasseurs de baleines, les pirates et les îles aux trésors. Si j'en crois la définition, c'est exactement ce qui m'est arrivé. L'entreprise comporta bien un certain nombre de difficultés, une grande part d'inconnu pour moi, et nous étions plus d'une personne : Isabelle et un couple d'amis, François et Sophie. Ces trois-là avaient déjà une expérience du voyage et une idée joyeuse du déplacement ou du dépaysement. J'étais le seul du quatuor à n'avoir aucun goût pour ce qui m'arrivait, même si je devais suivre leur mouvement qui paraissait si naturel.

Je gardais depuis longtemps accrochée sur le mur en face de ma table de travail une reproduction de l'une des fameuses photographies de Charles Clyde Ebbets prise le 29 septembre 1932.

Ces hommes sont joyeux, ils ont même l'air de plaisanter et mangent de bon appétit leur casse-croûte au-dessus du vide. Ce vide-là, c'était de la rigolade pour eux mesuré à l'impression vertigineuse du vide qu'avait dû représenter leur vie avant d'émigrer. Sinon, comment auraient-ils pu se tenir debout, assis, couchés dans le ciel bien mieux que des dieux, des funambules ou des anges ?

Dès les premières images des westerns que je voyais à la télévision quand j'étais enfant, j'ai toujours été du côté des Indiens, comme beaucoup d'enfants, du côté de ceux que l'on voulait soumettre aux nouvelles lois de l'envahisseur européen, de la même façon que l'on essayait de me soumettre aux règles et au monde des adultes auxquels je devais m'accorder. Je me souviens de plusieurs de mes capitulations. Le temps de l'enfance devint une contrainte et son territoire une occupation totale de laquelle je réussissais à m'extraire de temps en temps.

Tout ce qui pouvait échapper au regard des autres n'appartenait qu'à moi et ne répondait qu'aux lois que j'inventais. Rien de vraiment secret, plutôt un monde parallèle. Pas non plus à l'intérieur du monde des adultes comme le sont les jeux de tous les enfants, mais bien à la périphérie.

J'étais un petit mendiant. Pas à cause de mes charentaises trouées que je portais en dehors de l'école parce que ma grand-mère en portait tout le temps. En réalité, je mendiais des réponses qui n'arrivaient jamais. Parler, me faire entendre, me faire comprendre furent les obsessions de mon enfance, mais la langue française que je ne maîtrisais pas encore m'en empêchait. J'avais l'impression que mes sentiments, incapable que j'étais de les exprimer par la parole, se ficelaient autour de ma langue. Me faire comprendre se limitait à pleurer, à me taire ou à rester prostré dans le silence jusqu'à ce que se dessine l'idée d'inventer une autre langue, meilleur moyen pour me faire comprendre... mais ailleurs, dans un au-delà du monde connu. J'ai, toute ma vie, cru en ce principe : on ne vit pleinement que si l'on évolue dans un monde parallèle ou secret. Inventer une langue était complexe, pas question de baragouiner n'importe quoi ou de sortir n'importe quel son, il me fallait inventer une structure de phrase, presque une grammaire pour que ma parole ait l'air vraie. Il fallait vraiment que cette phonétique des phrases donne l'impression d'un sens. Cette langue inventée venait de l'italien, de l'espagnol et de l'arabe que j'entendais autour de moi sur la place grâce à la famille Sciortino, Lopez et Allaoui dont la présence était la preuve qu'il existait d'autres pays et d'autres langues. Je suis convaincu que c'est dans cette pratique d'une langue imaginaire, née de toutes les langues que j'entendais parler autour de moi, que j'ai appris à construire une scansion, un rythme, un style qui me sont apparus comme seul soutien possible du sens. Je ne me souviens plus exactement de ce que j'adressais à cet autre monde ; je me souviens de colères monstrueuses que j'exprimais et de l'état d'épuisement dans lequel je me retrouvais après ces séances de glossolalie en solitaire dans le grenier, avec les portraits abandonnés des ancêtres qui me servaient d'interlocuteurs, ou dans les champs à perte de vue, m'adressant aux morts que je voyais dans les nuages. J'en ressortais pris d'une immense fatigue comme si je cherchais dans cet exercice à m'anéantir.

L'idée était aussi d'échapper à la langue maternelle. Quoi de plus normal au fond, quand ma mère m'avait abandonné. Je n'eus jamais autant l'impression d'échapper à l'emprise des adultes qu'en inventant une autre langue. Chez les premiers chrétiens, j'aurais été pris pour un apôtre ou un saint enfant ; dans ma famille on me prit pour un fou, un enfant dérangé. Lors d'une visite annuelle de ma mère, je me suis adressé à elle dans une de ces langues tout en manifestant ma joie débordante face à son incompréhension. C'est ce jour-là qu'elle m'a dit : « Continue comme ça et tu vas finir chez les fous. » Elle devait se sentir si coupable qu'elle finissait par dire une horreur en pensant jouer son rôle de mère. Le pire fut que ma grand-mère s'associa à cette menace, elle qui était en conflit permanent avec sa fille. Si cette alliance se faisait contre moi, c'est que la situation était grave. Je ne savais rien de la folie, ni des lieux où les fous sont enfermés et je ne saurai jamais comment j'ai mesuré dans cette menace à la fois le pire des dangers et dans le même temps une révélation sur la langue. Il faudra un jour que j'écrive l'histoire de cette conquête permanente de la langue et de la folie qu'elle contient. Parce que la langue est une folie.

Mais avant de comprendre cette chose stupéfiante, c'est la menace qui a dominé. Dès cet instant j'ai régulièrement rêvé que j'étais enfermé dans un asile avec des hommes et des femmes d'un autre temps, difformes et bavant. Je ne sais pas d'où j'étais capable de tirer ces images dont je n'ai trouvé des représentations que bien plus tard. Effectivement, ce cauchemar régulier ressemblait au tableau de Jérôme Bosch *La Nef des fous*, mais sans la couleur.

Ma première capitulation fut alors de cesser de parler mes langues imaginaires pour torpiller l'inquiétude de ma famille, non parce que je voulais les tranquilliser (leur bien-être ne me préoccupait pas), mais parce que je tenais à préserver mes mondes parallèles. J'en avais plusieurs et je pouvais circuler de l'un à l'autre très facilement. Je me suis donc mis à apprendre comme un forcené l'usage de la langue de mes tortionnaires avec un seul objectif : les faire taire, parler le français mieux qu'eux. Être plus savant. Sortir de la langue ordinaire, croyant de cette manière me sauver de leurs lois, de leur manière de vivre, de leur pauvreté.

Plus tard, j'ai retrouvé chez Jean Genet cette démarche d'une langue puissante classique et poétique pour parler des truands, des prostituées, des marins et des travelos. Genet reste le grand réconfort de ma vie. Je me suis enfermé dans la langue maternelle jusqu'à la maîtriser mieux que ma mère, grâce aux livres, dans les lectures illimitées et dans le silence sans fin de celles qui me conduiront à écrire sans relâche tout, n'importe quoi, quelquefois n'importe comment, mais écrire tout le temps, pour devenir un écrivain. De ces choses-là il faut retenir la capacité à rêver un monde pour l'inventer ensuite dans une langue.

Voilà comment durant toute mon enfance j'ai été un Indien, mais sans plumes et sans peintures de guerre. Nu. Vulnérable. Occupé.

Un monde inconnu est un monde parallèle ou secret qui se révèle à nous.

L'arrivée à New York

Je ne me souviens pas du temps du voyage, j'ai dormi dans l'avion pour ne pas penser que je traversais l'Atlantique. Un peu comme les héros baroques s'endorment dans une prison et se réveillent dans un lieu inconnu par la seule volonté des dieux qui s'amusent avec le destin des hommes. Je me suis réveillé à l'aéroport JFK devant répondre à la question : « Avez-vous l'intention d'assassiner le président des États-Unis d'Amérique ? » J'ai répondu non, mais la tentation fut grande de répondre oui pour qu'on me remette illico dans un autre avion en partance pour Paris. Seulement ma confiance en les Américains n'était pas suffisamment solide pour ne pas imaginer qu'ils pouvaient aussi me jeter dans une prison où les dieux baroques, cette fois-ci, n'auraient jamais pu exercer la moindre magie pour m'en extraire.

Je suis entré dans New York en taxi jaune comme dans les films. Ma première impression fut que cette ville était éminemment cinématographique.

Quitte à être dans la mythologie new-yorkaise, je serais bien allé dormir au Chelsea ou au Volney qu'a si longtemps habité Dorothy Parker. Nos amis avaient réservé au New Yorker, décor des années 1970 avec tout le personnel navigant des compagnies aériennes du monde entier en escale.

Deuxième impression cinématographique : le café ou plutôt l'eau de café du petit déjeuner de l'hôtel servi par une serveuse un peu fatiguée, un peu ronde, rose et bleu, déambulant dans la salle immense en se disant qu'elle va un jour de grand désespoir casser sa cafetière sur la tête d'un client trop emmerdant. J'avais l'impression de la connaître, tellement je l'avais vue dans des centaines de films. Je me disais qu'elle devait avoir du mal à joindre les deux bouts, qu'après son service elle enquillait un deuxième boulot et qu'elle trimait toute la journée pour maintenir sa famille à flot dans le Bronx.

J'avais emporté un carnet que j'avais pompeusement intitulé « Carnet new-yorkais ». J'ai pourtant toujours eu une espèce de malaise face à ces travaux d'écrivains, un doute sur la sincérité de leurs carnets de voyage ou même sur leurs journaux intimes ; il faut avoir une sacrée conscience de son éternité littéraire pour écrire ces à-côtés qui ne serviront un jour qu'à leurs biographes et que quelques éditeurs publieront sans en attendre un grand retour. Je comptais bien remplir ce carnet, en faire une sorte de pense-bête de ma visite, en vue d'un texte que j'écrirais plus tard (et que je suis en train d'écrire maintenant) tout en me disant que je brûlerai ce carnet une fois le texte écrit. Je ne brûlerai rien du tout en fin de compte.

Je n'étais plus chez moi et dans le même temps j'étais étrangement à l'aise. Une impression d'avoir été jeté dans l'écran, propulsé dans un film dont je ne connaissais ni le titre ni l'intrigue. Une belle vacherie du niveau d'Helzapoppin ! Mais l'air de rien je ne m'éloignais ni d'Isabelle ni de nos deux amis. François, le plus sûr des quatre, ouvrait la marche, Sophie arborait une sorte de distance élégante avec la ville et Isabelle semblait heureuse d'être là, émerveillée de tout.

On me l'avait dit : New York n'est pas une ville typiquement américaine, rien à voir avec le reste de l'Amérique ! C'est une ville européenne, m'avait dit un ami américain des années auparavant. Je pensais qu'il parlait de la manière de vivre, de s'habiller des New-Yorkais liée à une espèce de nostalgie de la vieille Europe, une nostalgie un peu parisienne. J'ai compris que j'étais loin du compte.

Les New-Yorkais, en particulier ceux de Manhattan, ressemblent assez à des Parisiens : pas d'obèses dans ces rues, pas de bonnes femmes choucroutées et couvertes de bijoux en or, comme je les avais vus dans les séries américaines qui pour la plupart étaient tournées sur la côte Ouest.

En revanche, entendre parler l'américain partout, toute la journée, risquait de projeter le glossolale converti au français que j'étais devenu depuis bien longtemps dans une sorte d'autisme si l'on m'abandonnait dans cette ville.

C'est exactement ce qui arriva quand je suis resté planté au milieu de la rue à attendre les trois autres qui m'avaient oublié, sans bouger, jusqu'à ce qu'ils finissent par me retrouver. Sinon j'aurais cette fois-ci fini en hôpital psychiatrique dans le pire des cas, à l'ambassade de France dans le meilleur. Mais durant cette attente paralysante qui dura presque deux heures j'avais l'impression d'être transparent et qu'à force j'allais réellement finir par disparaître. C'est la première et la seule fois de ma vie que j'ai pu mesurer l'ampleur des dégâts que l'abandon de mes parents avait produits sur moi. Depuis, je sais que je ne peux pas m'éloigner seul des territoires de la langue française, sinon en prenant le risque réel de devenir fou. La langue est devenue chez moi une personne, une femme, une mamelle. Ce fut aussi une vraie découverte de comprendre que la folie que j'avais tant redoutée toute ma vie existait en moi, cachée, prostrée (je ne sais où) quelque part dans le fond de mon inconscient ou ailleurs – ailleurs, vraisemblablement, l'inconscient me semble un lieu bien trop étroit et trop facile d'accès pour que ma folie s'y soit enfouie. Je la sens davantage dans mes muscles et dans mes os. Elle peut s'abattre sur moi jusqu'à me paralyser. Toujours quand je suis seul. Quand je n'ai plus rien à prouver à personne. Durant ce temps d'hypnose sur le trottoir, hors du temps, sans bouger, à me paralyser entièrement, je ne me disais pas que j'étais fou, je me disais que j'étais perdu. Je n'avais plus quarante ans, j'avais quinze ans, huit ans, cinq ans, je revivais la menace de la folie, je ressentais à l'intérieur de moi une sorte de compte à rebours jusqu'à cette impression de transparence totale qui conduit au néant, celui d'avant la naissance. Le monde autour de moi était comme une vitre où mon reflet ne faisait plus obstacle aux choses terrestres qui me traversaient. Je n'avais plus de corps, plus de visage, plus de sensation. Pas non plus la preuve de la folie ; ça s'apparentait davantage à l'idée du fantôme. Autant dire que j'étais comme mort. Mais c'est aussi cela la folie, c'est quand on est mort à soi-même. C'est ce que j'ai compris beaucoup plus tard en écrivant *Je vous écris dans le noir*.

Certainement à cause de cette fracture entre la langue américaine et moi, je me suis remis à peindre à New York. J'avais abandonné la peinture des années auparavant après avoir longtemps hésité entre devenir peintre ou devenir écrivain. C'était à l'époque où je dansais chez Roberta Garrison. J'avais, après un bref passage au Living Theatre, pris des cours de danse à Rome dans le but de faire apparaître mon corps, c'est-à-dire ma future dépouille. Rome ne fut pas une ville étrangère pour moi. Je me suis débrouillé pour n'y rencontrer, en deux ans, que des Italiens qui parlaient français et qui aimaient parler le français. J'en ai fait des choses pour atteindre la peinture ou l'écriture. On peint ou on écrit, mais on ne devient jamais un peintre ou un écrivain, je ne suis même pas sûr que l'on désire devenir peintre ou écrivain. Peindre ou écrire ne vous définit pas. Cela s'apparente davantage à une maladie qui distille à la fois son poison et son remède.

De l'autre côté de l'Atlantique, j'étais incapable d'écrire. Le dessin s'est substitué à l'écriture. Le carnet new-yorkais devint le carnet de dessins. Je dessinais tout ce que je voyais ou je retravaillais à la gouache les Polaroid que je prenais. L'appareil à photos instantanées me fut d'un grand secours, il me permettait de cadrer certaines choses, de concentrer mon attention sur un détail plutôt que de me laisser envahir par l'ensemble. Tout me paraissait démesuré mais sans hostilité. S'il y a une image de New York que je retiendrai, c'est celle de ces sacs-poubelle en plastique noir, énormes, bourrés de déchets qui passent une grande partie de la nuit dehors et qu'à ma connaissance les cinéastes ne montrent jamais. Je les ai vus, ces gros sacs noirs accumulés sur les trottoirs, sans commune mesure avec les ordures que l'on peut voir à Paris. Même les poubelles du Drugstore des Champs-Élysées ou du Quick n'ont rien à voir avec celles d'un restaurant ordinaire new-yorkais. Il faut qu'il y ait une grève des éboueurs pour voir de tels amoncellements à Paris. À New York c'est toutes les nuits, et au matin tout a disparu. Je photographiais toutes ces choses parce que je pressentais qu'un secret sur ce pays était contenu dans ces déchets.

L'expérience du Delicatessen

Une délicatesse. L'origine du mot est française. Puis le mot est passé par l'Allemagne (probablement avec les protestants français qui fuyaient les massacres au XVIe siècle) pour devenir « Delikatessen ». Transporté aux Amériques par des migrants allemands de confession juive et de tradition yiddish, le mot perd son K et s'impose à New York avec l'orthographe « Delicatessen ». Au départ, c'étaient des épiceries dans lesquelles on pouvait trouver des produits délicats, autrement dit des épiceries fines. On pouvait aussi y manger et surtout emporter des plats préparés, essentiellement sandwichs, salades, soupes, omelettes, viandes et fromages, des préparations fortement influencées par la cuisine ashkénaze originaire d'Europe de l'Est à base de viande fumée et de pastrami. Quelques années plus tôt avec ma grande amie Élodie qui habitait rue des Rosiers nous achetions souvent chez Goldenberg des sandwichs au pastrami, cette viande de bœuf conservée dans la saumure et les épices avant d'être fumée. Élodie, d'une beauté et d'une élégance rares, mangeait peu et je finissais toujours ses sandwichs qu'elle picorait. Elle me regardait manger et me disait chaque fois : « Personne ne mange comme toi, tu as les yeux qui brillent quand tu manges. » C'est elle qui m'avait dit qu'à New York on mangeait les meilleurs sandwichs au pastrami. Élodie, cette merveille, avait fini par mettre fin à ses jours et l'idée de manger un sandwich au pastrami à New York en mémoire d'elle m'apparut telle une expérience culturelle aussi importante que de me taper *Les Nymphéas* au MoMA.

Isabelle et moi nous installons à une table et nous passons commande. Rien à voir avec ce que j'avais pu manger rue des Rosiers, plus question d'une tranche ou deux de pastrami entre deux tranches de pain épaisses, mais d'une montagne de pastrami accompagnée de coleslaw, cette salade de chou cru mélangée à des carottes râpées, des oignons et quelquefois des raisins secs. Une montagne !

Il y avait bien une quinzaine de tranches les unes sur les autres surmontées d'un petit morceau de pain, accompagnées de cette salade de chou. J'ai d'abord pensé que nous étions tombés chez quelqu'un de bizarre, un malade qui avait souffert de malnutrition, peut-être même était-il passé par un camp de concentration, son âge et son accent pouvaient le laisser supposer, et je me suis bien gardé de montrer mon étonnement. Pas question de l'offenser. Mais impossible de terminer nos assiettes. Avant de partir, le patron, très gentiment, dans son américain teinté de yiddish, nous a proposé d'emporter le reste. C'est ce qu'Isabelle comprend puisqu'elle parle bien anglais. Je connaissais l'expression « doggy bag » mais je n'avais jamais été confronté à son usage. Nous refusons aimablement et le remercions pour sa générosité, mais je voyais bien dans le regard de cet homme de grande taille aux cheveux grisonnants et ficelé dans son tablier blanc que je venais de provoquer ce que j'avais voulu à tout prix éviter : l'offenser. J'ai même senti une pointe de mépris envers nous le temps que son esprit commerçant refasse surface. Il ne nous restait plus qu'à le remercier à nouveau et à fuir. J'étais convaincu d'avoir vécu une expérience unique, que nous étions tombés sur un excentrique capable de faire des sandwichs aussi délirants, sans comprendre encore que toute l'histoire de l'émigration américaine, et pas seulement de l'émigration juive, était déjà contenue dans cette assiette.

Nous avons rejoint François et Sophie qui, en tant qu'architectes, avaient eu envie de confronter leur regard aux prouesses architecturales de cette ville portuaire où l'on ne sent jamais la mer. La mer semble rester à distance. La présence du ciel en revanche est permanente grâce à la largeur des avenues et à la taille des gratte-ciel puisque l'on est constamment, du moins pour des touristes, le nez en l'air à mesurer les hauteurs et le vertige de Manhattan. Le Flatiron Building de 87 m, l'Empire State de 443 m, le Singer Building de 187 m, la Metropolitan Life Tower de 210 m, le Woolworth Building de 241 m et la Chrysler Tower de 380 m. Tous ces gratte-ciel ont été construits entre 1900 et 1938. À l'époque de mon voyage, les Twin Towers encore debout étaient beaucoup plus récentes et je n'avais rien noté de particulier à leur sujet.

Cette ville par ces gratte-ciel m'évoquait davantage la ville idéale du XIXe siècle qu'une ville moderne du XXe. Sophie (qui ne devait pas tout à fait partager mon avis) me fit simplement remarquer que mon impression provenait sans doute des matériaux utilisés pour ces constructions.

La plupart des immeubles étaient bâtis en pierre de taille, quelquefois même sculptée comme nos cathédrales. Elle avait raison. Et je ne pouvais pas m'empêcher de me demander ce que Péguy aurait pensé de cette ville. Ce n'est pourtant pas une phrase de Péguy que j'ai notée en rentrant à l'hôtel, mais une phrase de Simone Weil : « Pourquoi les opprimés révoltés n'ont-ils jamais réussi à fonder une société non oppressive ? » Pourquoi cette phrase, à ce moment-là ? Sûrement parce que je commençais à ressentir dans la puissance architecturale quelque chose de plus grand que l'architecture elle-même, quelque chose d'une humanité inimaginable. Du moins que je n'imaginais pas trouver ici.

Ces promenades dans les rues de New York agitaient en moi toutes sortes de pensées qui se mélangeaient au travail que j'avais commencé sur le roman populaire et le scénario, mais aussi avec la photographie d'Ebbets et Lamartine. J'étais en fusion. Incapable de donner un sens à ces choses apparemment sans lien entre elles. Cela valait dans les rues, quand mon regard était confronté à l'architecture, aux mouvements, aux gens, mais disparaissait aussitôt dans les sanctuaires de la culture, au MoMA ou au Guggenheim.

C'est plus fort que moi, je n'arrive pas à penser dans les musées. Quand j'ai regardé une œuvre ou deux, trois au maximum, mon regard ne peut plus rien accueillir et mon esprit se bloque. C'est vrai pour n'importe quel musée, n'importe où. Et je ne supporte pas ces gens qui racontent avoir vu tant de choses dans les musées. On ne leur demande pas de voir, on leur demande de regarder. Et si l'on regarde attentivement, profondément, le regard se perd dans le corps de l'image, notre imaginaire s'échappe et la pensée surgit. Sinon à quoi servirait que des artistes aient usé leurs corps, leurs rêves, leurs idées, leurs recherches, et même leurs délires si c'était juste pour que leur travail soit vu ?

D'autres choses, ailleurs dans ce monde, provoquent ma pensée. Par exemple, les rues dans les villes ou les villages, construites de manière non concertée par les hommes, contre le vent, en fonction des terrains à vendre, ou les paysages de la campagne par les paysans avec leur manière « mondrianesque » de diviser le territoire en carrés de couleur (du blé plutôt que des betteraves, du lin ici et du colza là-bas.) Ces vues ou visions suscitent en moi toutes sortes de réflexions. Le travail d'un artiste, fût-il un grand artiste, ne provoque pas nécessairement en moi une telle agitation, du moins pas aussi rapidement. Mon œil a besoin de plus de temps mais je finis par arriver au même résultat devant les œuvres de quelques artistes, comme le père Kim En Joong et ses vitraux de la basilique Saint-Julien à Brioude, plus récemment Fabienne Verdier, dans une tout autre approche Gérard Garouste avec ses mythologies intérieures et sacrées ou encore Catherine Lopes-Curval avec ses narrations imaginaires et si littéraires qui m'emportent à chaque image.

Et puis il y a toujours cette volonté devant une œuvre d'art de se demander : « Qu'a voulu dire l'artiste ? » La question vaut pour Le Caravage autant que pour Paul Rebeyrolle. Je sais bien que la glose est aussi importante que l'image peinte aujourd'hui mais rien ne m'indiffère plus que les spécialistes ou les experts qui veulent expliquer la peinture.

Quand la beauté est posée comme une puissance qui équivaudrait à celle de la création de Dieu, elle est paralysante. La beauté de la rue ou du paysage de campagne est immédiate, viscérale, elle parle au cœur d'abord et oblige à un travail intérieur, unique et sans concession, suffisamment singulier pour que l'on puisse aller puiser en soi des richesses insoupçonnées. Peut-être parce que dans une rue ou devant un paysage, on fait partie du tableau. On n'en est pas exclu. Il arrive même que l'on soit l'acteur principal de ce chef-d'œuvre involontaire.

Je ne connais personne qui ne s'extasie pas devant la mer, des champs ou une ville. Tout le monde dit « Mon Dieu que c'est beau », c'est aussi ce que dit Madame de Mortsauf quand Félix de Vandenesse lui apporte un bouquet dans *Le Lys dans la vallée* : « Mon Dieu que c'est beau ! » C'est un tremblement dans le roman. C'est l'éveil à tous les sentiments, à tous les possibles, à toutes les promesses. Tout est contenu dans la beauté du bouquet qui s'oppose à l'impression grise du décor dans lequel Madame de Mortsauf vit avec sa famille. La beauté, c'est ce qui fait paraître le reste du monde ordinaire.

En revanche, tout le monde ne s'écrie pas d'emblée : « Mon Dieu que c'est beau » devant un tableau. Et si on le dit, on est d'abord paralysé par cette beauté-là. L'art ne provoque rien d'immédiat en moi, il exige de moi un temps de captation et d'intériorisation dont je n'ai pas besoin devant les paysages. Probablement cela vient-il de mon origine sociale, peut-être que je n'ai pas été habitué à recevoir cette beauté-là. Ce n'est pas à exclure.

En plus, aujourd'hui, tout est fait pour que l'abord d'une œuvre nous impressionne. Pas de la part des artistes (encore que certains jouent le jeu sans scrupule) mais de la part des spécialistes qui organisent les expositions et agencent les musées. La mode est d'isoler l'œuvre sur un mur blanc pour qu'elle impressionne, pour qu'elle domine le visiteur. Est-ce l'aboutissement d'une œuvre d'art de dominer ? Les œuvres devraient être entassées et composer un paysage comme cela fut le cas depuis les premières expositions d'œuvres peintes. Permettre au regard de fouiller le mur d'images, nous remettre dans la découverte du monde, dans l'état du premier regard au monde. Le peintre David pour atteindre la perfection de l'image et du regard exigeait que l'on regardât ses œuvres dans un miroir afin que l'œuvre s'accomplisse dans une sorte d'irréalité.

Possible que je m'éloigne, mais peut-être pas tant que ça, je sais où je veux t'emmener et je ne peux pas y arriver sans faire et sans t'obliger à faire ces détours avec moi dans l'écriture. Je n'oublie jamais quand j'écris que tu vas me lire. Toi, c'est le lecteur, toujours idéal, tu es dans le texte ou tu y seras mais je te veux à mes côtés quand j'écris. Il faut toujours que je te fasse une place pour que tu puisses circuler dans le texte. J'écris avec toi et tu liras avec moi. Et si quelquefois c'est difficile, c'est que le texte est moins facile à écrire que je ne le voudrais. Mais ce n'est pas parce qu'il est difficile qu'il ne faut pas l'écrire. De toute façon, écrire est difficile et aucun écrivain ne dira le contraire. En revanche, ils sont nombreux à vouloir que la lecture soit facile. Je ne suis pas sûr de le vouloir toujours.

Il est temps que je revienne à mon voyage à New York.

Il faut commencer par un peu d'histoire. Au départ, Ellis Island était un fort, le Fort Gibson, haute place militaire qui faisait partie du système de défense de la ville de New York contre la flotte britannique. À l'origine, l'île s'appelait Little Oyster (l'île de la petite huître). On la nomma Ellis Island en référence à Samuel Ellis, son propriétaire dans les années 1770, avant qu'il ne la vende à l'État de New York pour une raison que j'ignore.

Le bâtiment d'accueil des migrants d'Ellis Island fut construit pour en finir avec le déferlement d'immigrés à Fort Clinton (sud de Manhattan) parce que toute la population s'en plaignait et imputait aux nouveaux arrivants tous les maux de la terre. Un siècle et demi plus tard rien n'a changé quand on voit comment les populations confrontées aux « migrants » réagissent encore, au lieu de s'organiser et d'accueillir.

Une île permettait donc d'isoler les migrants avant leur entrée dans le pays et surtout d'éviter les évasions de ceux qui n'auraient pas été retenus pour entrer en Amérique.

Ellis Island ouvrit ses portes en 1892, deux ans après la mort de Sitting Bull. L'annonce était claire : ce bâtiment était prévu pour recevoir et sélectionner les immigrés. D'un côté, repérer les corps en parfaite santé et vigoureux pour participer à la construction d'une Amérique puissante, de la même façon que l'on avait traité les esclaves noirs. Et de l'autre, refouler et bannir les plus faibles et les moins bien portants.

Dès qu'Isabelle, Sophie, François et moi avons débarqué sur l'île d'Ellis, nous nous sommes tus. Nous n'étions pas les seuls pris de silence, de ce même silence qu'on respecte dans une église, une cathédrale ou comme je l'ai ressenti plus récemment dans un camp de concentration. Depuis l'enfance ou plutôt à cause de mon enfance, ce qui m'intéresse dans l'histoire ce ne sont pas les faits historiques mais leurs ondes de choc sur les hommes et les femmes, souvent les plus ordinaires. Je n'arrive pas – et je ne peux pas – me dissocier d'eux, de tous ceux qui sont passés avant nous, qui ont fait ce que nous sommes et agissent comme des contreforts pour nous soutenir. Est-ce à dire que je voue une sorte de culte aux morts ? Probablement. Mais pas seulement aux miens. Rien à voir avec l'idée confuse du passéisme mais plutôt avec l'impérieuse nécessité à maintenir un lien constant avec l'Histoire.

Je me souviens d'une tombe dans le cimetière de Bages dans l'Aude sur laquelle était écrit : « Toi qui passes rappelle-toi nous avons été ce que tu es et tu seras ce que nous sommes. » Une phrase sans virgule et sans point. On pourrait en lisant ce « message » d'outre-tombe se dire qu'il vaut mieux ne rien faire puisque nous finirons tous dans le trou. Il n'y a pas d'échappatoire possible. En revanche, la tombe est entièrement sculptée mais sans figures anthropomorphiques, simplement deux colonnes sur lesquelles sont sculptés une liane de lierre apparemment tenace, et un linge, un linceul qui semble sécher entre les deux colonnes en attendant d'ensevelir la prochaine dépouille. La tombe est particulièrement belle et démontre qu'il s'agit là de quelqu'un qui a manifestement réussi dans la vie. La beauté de la tombe et le rappel dans le message ne se contredisent pas. C'est comme si le mort nous disait : « Regarde ce que tu peux accomplir mais n'oublie pas ta destination finale parce qu'il n'y a pas d'éternité sur terre. » Y a-t-il un projet plus grand pour l'humanité que de dire : agissons et créons sans fin mais pas pour nous-mêmes, pour l'humanité puisque chacun de nous finira poussière ? Et puis, il y a ce « nous » dans : « Nous avons été ce que tu es et tu seras ce que nous sommes. » Comme si chaque mort une fois dépossédé de son enveloppe terrestre n'avait plus d'identité et appartenait au peuple des disparus. Enfin, le début du message gravé dans la pierre, « Toi, qui passes », n'est pas seulement adressé à celui qui passe devant la tombe, mais nous rappelle, d'emblée, que chacun d'entre nous n'est qu'un passant dans ce monde. On ressent quelque chose du même ordre quand on marche dans Ellis Island.

Je ne vais pas m'attarder sur l'architecture d'Ellis Island qui n'est pas sans évoquer celle d'un palais, peut-être même d'un palais enchanté, pour accueillir les migrants. Aucun paradoxe, simplement l'idée de rappeler la puissance de l'Amérique après la statue de la Liberté, première image que les immigrés voyaient du pont de leur bateau. Cette grande femme qui porte une torche pour éclairer la nuit et le jour ! Il faut imaginer l'impression de mirage que cela devait produire au premier regard quand la statue apparaissait dans la brume du matin, avant de s'apercevoir que la « Dame en blanc », figure de bien des légendes populaires dans toute l'Europe catholique, était une géante de pierre, une déesse immortelle, qui les accueillait tous sans distinction.

Première impression une fois à l'intérieur de ce palais qui est devenu un musée : les images des « migrants » se soulevaient devant moi. Des photographies en noir et blanc grandeur nature.

D'habitude les photographies sont des petits formats et nous les dominons. Là, c'était l'inverse. Le silence que je maintenais s'est alors rempli de ces images, comme dans les églises. Et comme dans les églises les images semblaient m'accueillir pour me raconter quelque chose du monde, de ses fondations que je ne connaissais pas encore. J'avais l'impression de pouvoir entrer dans le temps où ces photographies avaient été prises par, je supposais, les photographes officiels d'Ellis Island. Il devait bien y en avoir.

Sur ces photographies, il y a quelques migrants bien mis, des hommes à moustache, chapeautés et gantés ; quelques femmes avec voilettes, assises sur des malles en cuir qui semblent fatiguées par ce long voyage en première classe. Mais ceux-là ne constituent qu'une petite minorité. Tous les autres ne sont que des pauvres, des miséreux, des gueux, des mendiants de troisième ou quatrième classe, malgré les efforts que certains ont faits de mettre, pour les hommes, une cravate sur une chemise mal repassée et une veste défraîchie ; ou de porter, pour les femmes, un châle sur la tête suffisamment long pour couvrir en grande partie une robe de gros tissu froissée. Toutes les tenues sont fripées, raccommodées, les chaussures éculées. Pas de malles pour ceux-là, juste des grosses valises en carton bouilli et des baluchons plus ou moins gros. Des enfants, des hommes et des femmes, des vieillards que l'on n'avait pas dû vouloir abandonner au pays. Une de ces vieilles femmes a un regard de folle et semble se demander ce qu'elle fait là.

Où est-elle ? Pourquoi ne sera-t-elle pas enterrée auprès des siens ?

Plus de un million de migrants sont entrés par ce palais de l'immigration, rien que durant l'année 1903 ! Et dire que nous nous plaignons de vingt mille migrants que l'on est incapable d'accueillir et d'intégrer dans notre société. L'économie se mondialise et curieusement les pays se rétrécissent et se ferment au lieu de s'ouvrir. C'est un contresens de ces temps dits modernes.

Impossible de me décrocher de ces images d'hommes, de femmes et d'enfants qui arrivent quand même à sourire. Je les regarde avec tout ce que je suis, avec l'enfant-Indien capable de parler une langue inventée, avec la douceur des regards de mes grands-parents communistes, avec Lamartine et Georges Perec. J'entre dans le regard de cet enfant qui aujourd'hui aurait plus de cent ans. Soudain me dire : cet enfant, comme tous les autres, a grandi, s'est marié, a eu une famille, des enfants, puis des petits-enfants et ainsi de suite. Il est mort. J'ai toujours cette impression en regardant des enfants sur de vieilles photos. Je ne peux pas m'empêcher d'imaginer tout ce qu'ils portent en eux, tout ce que la vie va déplier à partir d'eux et qu'ils ne peuvent même pas soupçonner. C'est vertigineux et dans le même temps ça ramène la photographie à ce qu'elle est, un instant de vie mais pas la vie qui n'est que mouvement. L'Amérique est un pays où chaque habitant sait précisément d'où il vient. Les Européens de l'immigration, pour les plus anciens de la colonisation, les Afro-Américains de l'esclavage et les Indiens, eux sont les seuls qui trouvent leur origine dans cette terre, malgré le génocide que leurs ancêtres résistants ont subi pendant trois siècles.

Il n'y a pas de lien à faire entre une cathédrale, un camp de concentration et Ellis Island, si ce n'est que ce sont les rares endroits au monde qui nous bâillonnent. Cela vient des lieux eux-mêmes et de leur histoire. Ils contiennent soit la plus grande souffrance soit la plus grande ferveur humaine. Ellis Island contient les deux.

Le pas de Christophe Colomb

Impossible de ne pas penser au premier pas du Génois quand il a foulé ce continent, même si ce pas eut lieu beaucoup plus au sud que les États-Unis d'aujourd'hui. Mais, comme lui, chaque migrant a nécessairement fait un premier pas dans ce pays, ressenti l'élan de la conquête, une impression de paradis. Même si chacun d'eux était forcément déchiré entre ce qu'il venait de quitter et ce qu'il rêvait de vivre. Pas à la manière d'un aventurier (un aventurier est celui qui jouit de l'inconnu), eux c'était plutôt à la manière d'un homme lucide, conscient de sa valeur, de son potentiel et qui veut croire qu'il mérite autre chose que le sort qui lui a été réservé jusque-là. Faire ce voyage c'était renoncer à la fatalité, refuser le choix que Dieu avait fait de sa misère. Croire terriblement en Dieu ou ne plus croire en lui du tout. Cela pourrait ressembler à la définition d'un révolutionnaire. D'un révolutionnaire qui aurait révolutionné sa vie en prenant la décision de tout quitter. Ils étaient pauvres, mais pas pauvres de tout.

J'étais submergé par les photographies de ces hommes et de ces femmes courageux, dignes, blessés et d'un autre temps. J'ai pleuré devant ces clichés qui s'ouvraient devant moi. Parce qu'il arrive que les images s'ouvrent et nous fassent sentir les puanteurs du monde. Pas seulement à cause de ces visages et de ces regards quelquefois furieux, mais parce que j'avais visité New York avant. Impossible de ne pas faire le lien entre ces miséreux pleins d'espoir qui avaient tout quitté et la ville de New York splendide et tout étirée vers le ciel. Comme en témoigne un migrant italien : « Nous croyions que les rues étaient pavées d'or mais elles n'étaient même pas pavées et c'est nous qui les avons pavées. » Bien sûr que c'est vrai. Comme il est tout aussi vrai qu'il y avait du travail pour ceux qui avaient quitté un pays où il n'y en avait plus. Alors, qu'on le veuille ou non, que l'on soit pro ou anti-américain, ce sont eux, ces miséreux, qui ont bâti New York.

Et tout devint cohérent. Les poubelles, le sandwich au pastrami, les parts délirantes de gâteaux dans les vitrines des pâtissiers, la hauteur des gratte-ciel. Aucune folie là-dedans. Juste l'idée de la grandeur et de l'abondance. Une idée que l'abondance ne pouvait pas être raisonnable, qu'elle devait être démesurée. Et qui peut inventer ça, à part des pauvres ? Si l'on met en perspective la hauteur d'un sandwich au pastrami et les gratte-ciel en pierre de taille jusqu'aux plus récents, notre vision change sur cette ville. En Europe, la propriété se mesure à la terre que l'on possède. Plus une famille s'étale, plus elle occupe de terrains, plus elle s'agrandit, plus elle est riche et plus elle a de pouvoir. À New York j'eus l'impression inverse. Ce n'était pas la terre que les migrants se partageaient, c'était le ciel !

Si les cathédrales ont été construites avec l'espoir d'atteindre au plus près l'orteil de Dieu, les gratte-ciel ont une tout autre fonction. Seulement voilà, pour oser ce défi, il faut en avoir fini avec Dieu ou l'avoir remis à sa place. Il faut soit avoir débarrassé le ciel de toute mythologie, soit l'avoir repoussée aux confins de l'Univers. Plus je regardais les gratte-ciel, plus j'avais l'impression que la première grande conquête de l'espace n'avait pas été faite par les fusées, mais par les bâtisseurs d'immeubles.

New York, malgré sa Cinquième Avenue, m'apparut alors être la plus grande ville de pauvres du monde, la seule entièrement faite par des pauvres, construite par des pauvres et même rêvée par eux. Dès cet instant, je ne pouvais plus regarder New York comme une ville ordinaire, pas même comme une ville moderne. Elle m'apparut définitivement comme un rêve de pierre qui fait face à l'Europe. C'est comme si cette ville disait inlassablement : « Regardez, ce que vos pauvres ont fait, ceux dont vous vous êtes débarrassés. Regardez ce qu'ils ont été capables de construire, regardez ce que vous avez perdu. » Mais il faut croire que l'Europe est sourde.

New York est bien plus qu'une cité idéale, elle est un manifeste sur la puissance des pauvres gens, sur leur force à inventer un monde et à le bâtir. Et ce n'est pas le rêve américain que j'ai touché là-bas, c'est le rêve socialiste originel. Dans le pays du capitalisme ! Il semblerait qu'il y ait là un paradoxe. Et pourtant, il est impossible de ne pas y penser.

J'en arrivais à me dire que même la période du maccarthysme (même si elle nous paraît délirante aujourd'hui), était peut-être l'expression d'une crise plus intérieure qu'extérieure. La guerre froide n'était au fond qu'un prétexte pour expurger le « poison du partage » contenu dans les racines mêmes des Américains. L'Amérique était donc le terrain idéal pour une telle révolution puisqu'elle est fondée sur une population issue de la pauvreté qui porte en elle les ferments d'un monde idéal. Il fallait éviter à tout prix que ces idées-là surgissent et se développent quand l'Europe commençait sérieusement à vibrer pour ce nouveau credo. La chasse aux sorcières n'a pas eu d'autre volonté que de mettre fin à ces origines misérables et nécessairement révolutionnaires. Tout le monde pensait que cela se jouait dans le ciel et dans la conquête de l'espace, en réalité cela se jouait surtout au cœur même de l'histoire américaine.

Ce que l'Amérique avait exprimé par sa peur de voir ressurgir ses origines dans la mémoire des Américains, dans sa capacité à inventer un monde nouveau, allait être retourné de manière habile par Kennedy dès 1960. JFK, l'homme réduit à ses initiales, dit aux Américains : « Ne vous demandez pas ce que l'Amérique peut faire pour vous, mais ce que vous, vous pouvez faire pour l'Amérique. » Un tel slogan serait impossible en France. Là-bas, son écho est immédiat parce qu'il fait directement appel à cette même origine qui terrorisait le maccarthysme, non plus de manière inquiétante mais de manière constructive. Il ne s'adresse pas à n'importe qui. Et JFK le sait. Il s'adresse aux Américains en qualité de descendants des migrants, il réveille en eux leur héritage : le courage et la force de leurs ancêtres. Il demande au peuple d'être à la hauteur de ça. Et tout le monde comprend et tout le monde est d'accord. Se rouler les manches et travailler dur est le seul credo américain. JFK est humble. Il ne dit pas « je suis Dieu », il dit « aidez-moi », parce que je suis noir, berlinois, et migrant d'origine irlandaise. Il faudra attendre l'élection de Carter pour que Dieu soit réintroduit dans les discours présidentiels.

La statue de la Liberté

J'étais peut-être dans une forme de romantisme. J'en conviens. Même si je ne pense pas qu'être romantique soit l'aveu d'une faiblesse. Mais je ne pouvais m'empêcher de voir que sommeillait dans chaque Américain blanc un ancêtre pauvre qui avait souffert et rêvé. Dans chaque Américain noir un ancêtre esclave qui avait souffert et rêvé. Il en est ainsi pour chacun de nous. Nous portons en nous une force ancienne, venue des ancêtres et qui nous soutient malgré nous.

La statue de la Liberté n'échappe pas à cette règle. Elle n'est pas tout à fait ce qu'elle semble représenter. Elle n'est pas seulement faite d'une structure de fer. Bartholdi, travaillé par les prouesses techniques de son temps, rêvait d'un phare capable de représenter une sorte d'idole. Les dessins et les maquettes qu'il a faits pour cette statue gigantesque n'étaient pas, à l'origine, destinés à l'Amérique. Il avait pensé cette grande figure féminine portant une torche à la main et le bras tendu pour l'Égypte. Une statue qui devait représenter *L'Égypte éclairant l'Orient*. Quand je comprenais ces choses, l'Amérique n'avait pas vécu le drame du 11 septembre 2001 et n'était pas entrée en guerre contre certains pays de l'Orient plusieurs fois millénaires.

En 1903, l'année durant laquelle arriva le plus grand nombre de migrants, on inscrivit au pied de la statue de la Liberté le poème de la poétesse américaine Emma Lazarus, intitulé *Le Nouveau Colosse*. Il faut le lire parce qu'il porte en lui mieux que le rêve américain, la conscience de l'Amérique :

Pas comme ce géant d'airain de la renommée grecque
Dont le talon conquérant enjambait les mers

Ici, aux portes du soleil couchant, battues par les flots se tient
Une femme puissante avec une torche, dont la flamme
Est l'éclair emprisonné, et son nom est
Mère des Exilés. Son flambeau
Rougeoie la bienvenue au monde entier ; son doux regard couvre
Le port relié par des ponts suspendus qui encadre les cités jumelles.
“Garde, Vieux Monde, tes fastes d'un autre âge !” proclame-t-elle
De ses lèvres closes elle dit : “Donne-moi tes pauvres, tes exténués,
Tes masses innombrables aspirant à vivre libres,
Le rebut de tes rivages surpeuplés,
Envoie-les-moi, les déshérités, que la tempête me les rapporte
Je dresse ma lumière au-dessus de la porte d'or !”

Personne, aucun gouvernement ne s'est insurgé contre ce saignement des peuples. Tous les pays ont laissé partir leurs miséreux parce qu'ils ne représentaient rien, parce qu'ils ne valaient rien. L'Amérique les en débarrassait !

Lamartine et sa Geneviève occupèrent une place plus importante que je ne l'avais imaginé. Et le poète romantique m'apparut comme un New-Yorkais du XIXe siècle. Vouloir faire immerger cette littérature destinée en premier lieu au peuple, qu'il s'y reconnaisse et soit assuré qu'il n'était plus un peuple d'invisibles procède de la même volonté : croire qu'un trésor est caché dans le plus misérable d'entre nous à condition que le savoir et le travail politique agissent ensemble dans un but bien précis, en finir avec la tyrannie et inventer un monde nouveau où l'égalité des chances ne serait pas qu'une promesse électorale.

Jamais aucun siècle n'aura été aussi attentif aux pouvoirs des pauvres, à leurs capacités, à leur créativité et à leurs rêves des deux côtés de l'Atlantique. Mais des forces contraires en Europe ont toujours fini par se mettre en travers d'un tel projet... il en est encore ainsi. Peut-être plus que jamais.

Lamartine venait renforcer mes pensées et me rappelait tout comme Victor Hugo que des écrivains se sont levés pour défendre le peuple en écrivant entre autres dans la seconde partie de sa préface à *Geneviève ou l'histoire d'une servante* : « Il faut enseigner au peuple à se respecter lui-même pour ainsi dire religieusement, avec conscience de ce qu'il fait, [...] j'ose dire que c'est là donner au peuple bien plus que l'empire, bien plus que le pouvoir, bien plus que le gouvernement ; c'est lui donner la conscience, le jugement et la souveraineté de lui-même ; c'est le mettre au-dessus de tous les gouvernements. Parce qu'il y a un monde nouveau à découvrir, sans aller, comme Christophe Colomb, traverser l'Atlantique. Ce monde nouveau, c'est la sensibilité et la raison des masses ! La géographie de l'univers moral ne sera complète que quand ce continent populaire sera découvert, conquis et peuplé d'idées par les navigateurs de la pensée. On l'entrevoit déjà ; il ne reste qu'à l'aborder. »

Ce « continent populaire » était donc le sixième continent à découvrir. Mais il semblerait que personne encore ne l'ait vraiment trouvé. L'abordage n'a pas eu lieu comme Lamartine devait l'imaginer pour le siècle suivant. Il croyait en cette révolution comme les premiers chrétiens croyaient au royaume de Dieu pour leurs enfants. Alors qu'est-ce qui fait que cela n'est pas possible ? Pourtant tout n'est que question d'hommes et de volonté, alors qu'on nous assène à longueur de journée que tout est soumis aux questions d'économie et de rentabilité.

Le retour

Je revenais donc de ce voyage chargé ou rechargé de ma propre histoire, de mes origines et de mes premiers combats politiques. J'étais définitivement convaincu que la télévision était la grande héritière de ce roman du peuple que nous devions à Lamartine. Je me demandais s'il était possible de faire un tel saut dans l'écriture, sans un engagement politique solide et sincère. L'écrivain comme le scénariste peut-il être dépolitisé ? La littérature, comme la télévision, peuvent-elles se dissocier du champ de l'Histoire et de la politique ? C'étaient les questions qui allaient nourrir ces trois cours... que je n'ai jamais donnés.

Quand je repense aux impressions qu'il me reste de ce voyage, je ne peux m'empêcher de me dire qu'il serait temps que l'on se réveille au lieu de persister à creuser l'écart entre les riches et les pauvres, entre les citoyens et les immigrés. Allons-nous continuer à laisser les riches et le pouvoir occuper l'espace de la parole et museler les pauvres qui n'ont plus qu'un seul intérêt pour les politiques : celui de leur bulletin de vote ? Les principes démocratiques demeurent un encombrement pour tous les malades de pouvoir qui se présentent aux élections parce qu'ils savent que le vote de leurs riches amis ne sera jamais suffisant. Ils ont donc besoin à tout prix du vote des pauvres et n'hésitent pas à leur faire toutes les promesses possibles. Il en fut de même pour les révolutions comme le rappelait Lamartine, toujours dans sa préface : « On se disait : La force est là ; nous en avons besoin pour soulever des gouvernements qui nous gênent, appelons le peuple à nous, enivrons-le de lui-même ; disons-lui que le droit est dans le nombre ; que sa volonté tient lieu de justice ; que Dieu est avec les gros bataillons ; que la gloire est l'amnistie de l'Histoire ; que tous les moyens sont bons pour faire triompher les causes populaires, et que les crimes mêmes s'effacent devant la grandeur et la sainteté des résultats ; il nous croira, il nous suivra, il nous prêtera sa force matérielle ; et quand, à l'aide de ses bras, de son sang et même de ses crimes, nous aurons déplacé la tyrannie et bouleversé l'Europe, nous licencierons le peuple et nous lui dirons à notre tour : Tais-toi, travaille et obéis ! »

Ces mots datent de 1850 et c'est exactement ce qui se dit encore et inlassablement après chaque élection censée être une révolution puisqu'ils promettent tous le changement. Alors comment se sortir de ce cercle infernal quand on ne sait plus comment nourrir ses enfants ou leur garantir un avenir meilleur ? Où aller ? Vers où se retourner ? Vers qui ? Même plus de rêve possible. À la différence de la fin du XIXe siècle et du début du XXe, le rêve d'un départ pour inventer un autre monde est mort. Il n'y a plus de frontières et pourtant toutes les frontières sont fermées pour ceux-là. Même l'Amérique n'accueille plus personne. Elle devrait d'ailleurs effacer les mots d'Emma Lazarus sur le socle de la statue de la Liberté, se parjurer à tout jamais et renoncer à sa grandeur. Le pays né de l'immigration ferme ses portes aux immigrés. L'Amérique est devenue un pays aussi replié sur lui-même que les autres. Aucune échappatoire possible pour les migrants comme pour les pauvres. Il leur faut rester sur place et accepter de suffoquer dans la misère grandissante tout en fermant nos frontières aux forces nouvelles qui frappent à nos portes parce qu'ils sont condamnés de la même façon chez eux. Et si l'on ne fait rien pour développer ces richesses que les migrants, comme les pauvres de chez nous, portent en eux, ils mourront en emportant dans leurs tombes tous les gratte-ciel qu'ils auraient pu construire.

L'Europe tout entière n'engendre plus que la pauvreté et la mort dans la plus grande indifférence, sans comprendre qu'elle est nécessairement en train de tuer en son sein ses plus grandes espérances. C'est précisément cela l'obscurantisme moderne : renoncer aux richesses du sixième continent.

12268

Composition
NORD COMPO

Achevé d'imprimer en Espagne
par CPI BOOKS
le 3 septembre 2018.

Dépôt légal : septembre 2018.
EAN 9782290155165
OTP L21EPLN002306N001

ÉDITIONS J'AI LU
87, quai Panhard-et-Levassor, 75013 Paris

Diffusion France et étranger : Flammarion